新完全マスター 文法

日本語能力試験 N4

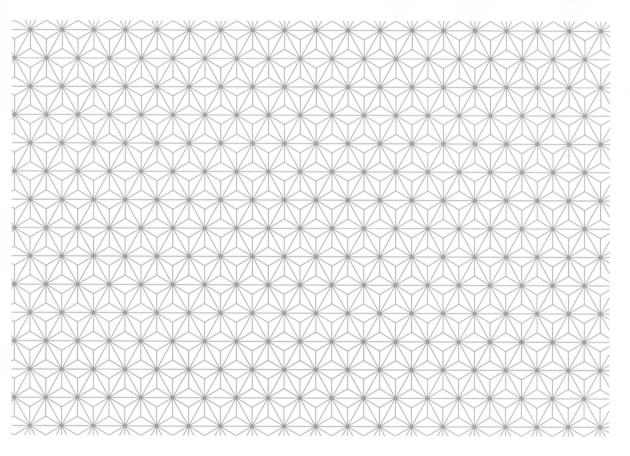

友松悦子・福島佐知・中村かおり 著

スリーエーネットワーク

Published by 3A Corporation.
Trusty Kojimachi Bldg., 2F, 4, Kojimachi 3-Chome, Chiyoda-ku, Tokyo 102-0083, Japan

ISBN978-4-88319-694-4 C0081

First published 2014
Printed in Japan

# はじめに

　日本語能力試験は、1984年に始まった、日本語を母語としない人の日本語能力を測定し認定する試験です。受験者が年々増加し、現在では世界でも大規模の外国語の試験の一つとなっています。試験開始から20年以上経過する間に、学習者が多様化し、日本語学習の目的も変化してきました。そのため、2010年に新しい「日本語能力試験」として内容が大きく変わりました。新しい試験では知識だけでなく、実際に運用できる日本語能力が問われます。本書はこの試験のN4レベルの問題集として作成されたものです。

　まず「問題紹介」で、問題の形式とその解法を概観します。次に「実力養成編」で必要な言語知識を身につけるための学習をします。最後に「模擬試験」で、実際の試験と同じ形式の問題を解いてみることによって、どのくらい力がついたかを確認します。

■本書の特徴

①旧出題基準3、4級、公式サンプル、公式問題集などを参考に、N4の試験で出題されると予測される項目を集積。

②初級の文法項目を概観できるように編成。初級の基礎を固めつつ、N3レベルにつながる学習を目指すことを示唆。

③簡潔な解説と豊富な練習問題。左ページで学習したことをすぐに右ページで練習できるように配置。

④解説は英語の翻訳つき。

　言語によるコミュニケーションをより良いものにするためには、言いたいことが正しく相手に伝わる文を作ることが大切です。そのためには、初級の基本的な文法学習をおろそかにしないで、土台をしっかり固める必要があります。

　本書が日本語能力試験N4の受験に役立つと同時に、N3の受験への足がかりになること、そして何よりも、日本語を使ってやりとりする際に役立つことを願っています。

　本書を作成するにあたり、第一編集部の井手本敦さん、田中綾子さん、佐野智子さんには大変お世話になりました。心よりお礼申し上げます。

2014年6月　著者

目　次　Contents

# 第2部　文法形式の整理

Part 2: Ensuring correct use of grammar forms

# 本書をお使いになる方へ

## ■本書の目的

この本の目的は二つです。
①日本語能力試験Ｎ４の試験に合格できるようにします。
②試験対策だけでなく、全般的な「文法」の勉強ができます。

## ■日本語能力試験Ｎ４文法問題とは

日本語能力試験Ｎ４は、「言語知識（文字・語彙）」（試験時間30分）「言語知識（文法）・読解」（試験時間60分）と「聴解」（試験時間35分）の三つに分かれていて、文法問題は「言語知識（文法）・読解」の一部です。

文法問題は３種類あります。

 Ⅰ 文の文法１（その文に適切に当てはまる文法形式を選ぶ問題）
 Ⅱ 文の文法２（文を正しく組み立てる問題）
 Ⅲ 文章の文法（まとまりを持った文章にするための適切な言葉を選ぶ問題）

## ■本書の構成

この本は、以下のような構成です。

 **問題紹介**
 **形の練習**
 **実力養成編** 第１部 意味機能別の文法形式（１課〜25課）
      第２部 文法形式の整理（１課〜15課）

 **模擬試験**

詳しい説明をします。

 **問題紹介**  問題形式別の解き方を知り、全体像をつかんでから学習を始めます。
 **形の練習**  動詞などの形の変化を練習します。
 **実力養成編** **第１部 意味機能別の文法形式**

    ・Ｎ４レベルで出題が予想される文法形式を意味機能別に学習します。（どんな意味か、どんな文法的性質を持っているか、どんな場面で使うかなど）

    **第２部 文法形式の整理**

    ・間違えやすい文法事項を整理して学習します。

第1部も第2部も見開き2ページで、左ページに例文と解説、右ページに確認のための練習問題があります。

第1部、第2部ともに5課ごとに学習した課までのまとめ問題があります。（実際の試験と同じ形式。文の文法1、文の文法2、文章の文法の3種類の問題）

**模擬試験**　実際の試験と同じ形式の問題です。実力養成編で学習した広い範囲から問題を作ってありますから、総合的にどのぐらい力がついたかを確認することができます。

## ■凡例

文を作るときは、それぞれの文法形式に合うように、前に来る語の形を整えなければなりません。

| | 前に来る語の形 | 例 |
|---|---|---|
| 動詞 | 動 ない形 | おくれない　＋ように（第1部10課） |
| | 動 ~~ない~~ -なく | 食べなく　＋なります（第1部20課） |
| | 動 ~~ます~~ | 歩き　＋ながら（第1部2課） |
| | 動 辞書形 | 言う　＋ことができます（第1部4課） |
| | 動 う・よう形 →22ページ | でかけよう　＋と思います（第1部18課） |
| | 動 て形 →14ページ | はいて　＋みます（第1部22課） |
| | 動 た形 →14ページ | 行った　＋ことがあります（第1部5課） |
| | 動 ている | しらべている　＋ところです（第1部2課） |
| イ形容詞 | イ形 い | きたない　＋まま（第1部8課） |
| | イ形 ~~い~~ | おいし　＋そうです（第1部8課） |
| | イ形 ~~い~~ -く | 大きく　＋します（第1部20課） |
| | イ形 ~~い~~ -くて | せまくて　＋もいいです（第1部6課） |
| ナ形容詞 | ナ形 な | きれいな　＋まま（第1部8課） |
| | ナ形 ~~な~~ | しんぱい　＋そうです（第1部8課） |
| | ナ形 ~~な~~ -で | 好きで　＋も（第1部16課） |
| | ナ形 ~~な~~ -に | きれいに　＋します（第1部20課） |
| 名詞 | 名 | 前のアパート　＋より（第1部1課） |
| | 名 の | 先月の　＋まま（第1部8課） |
| | 名 で | 子どもで　＋も（第1部16課） |

| その他 | ふつう形 | あった ＋そうです（第1部19課） |
|---|---|---|
| | ふつう形（例外） | |
| | ナ形 だ | 好き ＋みたいです（第1部12課） |
| | ナ形 だ -な | しずかな ＋のに（第1部16課） |
| | 名 だ | 男の子 ＋かもしれません（第1部12課） |
| | 名 だ -な | 5さいな ＋ので（第1部9課） |
| | 名 だ -の | 12さいの ＋はずです（第1部12課） |
| 名 する | | さんぽ ＋に（第1部10課） |

（注）名 する：名詞に「する」がつく動詞（さんぽする、見学するなど）の名詞部分「さんぽ、見学」

＊て形、た形、う・よう形のほか、ふつう形、〜ば・〜ならの形、可能の形、受身の形、使役の形、使役受身の形の作り方は14〜28ページに書いてあります。

接続のし方：

例1 「〜より〜のほう」（第1部1課）

🔗 名₁ ＋より＋ 名₂ のほう

①名詞に接続します。

例・わたしより 弟の ほうが せが 高いです。

例2 「〜ようです」（第1部12課）

🔗 ふつう形（ナ形 だ -な・名 だ -の） ＋ようです

①ふつう形に接続します。

例・へやには だれも いないようです。

・試験は とても むずかしかったようです。

②ただし、ナ形容詞 と 名詞 の現在肯定形は「〜だ」の形ではなく、「〜な」「〜の」の形に接続します。

例・けん君は 勉強が きらいなようですね。

・マリさんの けっこんの 話は ほんとうのようだよ。

＊この本では、あまり使わない接続のし方は書いてありません。

## ■解説で使っている記号と言葉

| 記号 | 意味 |
|---|---|
| ∞ | 接続のし方 |
| ☞ | 使い方の注意 |
| →第○部○課 | 同じ形の文法形式がある課 |

☞ の中で使っている次の言葉は文法的な性質を学習するときの大切な言葉です。

| 言葉 | 意味 |
|---|---|
| 話者の意向を表す文 | 「～たい・～（よ）うと思う・～つもりだ」など、話者があることをする気持ちを持っていることを表す文 |
| 相手への働きかけを表す文 | 「～てください・～ましょう・～ませんか」など、話者が相手に何かをするように言う文 |

## ■語彙

基本的に旧出題基準の3級までの語彙にとどめました。ただし、外来語はこの基準の範囲以外でも使っています。

## ■表記

基本的に旧出題基準の3級までの漢字は漢字表記にしました。ただし、熟語の場合、その一部の漢字が3級の範囲でない場合も、あえて漢字を使っています。

## ■学習時間

授業で使う場合の1課の授業時間の目安は以下のとおりです。

第1部：1課につき　　50分授業×1コマ

第2部：1課につき　　50分授業×1コマ

# To the user of this book

## ■ Aim of the book

This book has two purposes. It will help you to:

① Pass the Japanese Language Proficiency Test for N4, and

② Gain a better overall understanding of Japanese grammar, without just focusing on exams.

## ■ What grammar questions will be asked in 日本語能力試験N4 (Japanese Language Proficiency Test for N4)?

The Japanese Language Proficiency Test for N4 is divided into three parts: 言語知識（文字・語彙）Language Knowledge (Vocabulary): 30 minutes; 言語知識（文法）・読解 Language Knowledge (Grammar) and Reading: 60 minutes; and 聴解 Listening Comprehension: 35 minutes. Grammar comes under 言語知識（文法）・読解. There are three kinds of question.

    Ⅰ   文の文法１: Selection of the correct grammatical form for a particular sentence,

    Ⅱ   文の文法２: Questions on composing sentences correctly, and

    Ⅲ   文章の文法: Questions in which you must choose the appropriate word(s) to create a cohesive passage.

## ■ How this book is structured

This book comprises the following parts.

問題紹介 **(Question examples)**

形の練習 **(Practising grammatical forms)**

実力養成編 **(Skills Development)**

    第１部　意味機能別の文法形式　Part 1: Grammar forms by semantic function (1-25)

    第２部　文法形式の整理　Part 2: Ensuring correct use of grammar forms (1-15)

模擬試験 **(Mock Test)**

A detailed explanation follows.

問題紹介 **(Question examples)**

   First you will look at the different question formats, and gain a general understanding of them.

形の練習 **(Practising grammatical forms)**

   Students practice changes in verb forms, etc.

実力養成編 **(Skills development)**

第１部　意味機能別の文法形式 **(Part 1: Grammar forms by semantic function)**

   ・You will study grammatical forms expected to feature at N4 level, by semantic function. (In other words, what is the meaning, what are their grammatical properties, and in what situations should they be used?)

## 第2部　文法形式の整理 (Part 2: Ensuring correct use of grammar forms)

・Students learn to deal with grammar points where mistakes are easily made.

Parts 1 and 2 are both two-page spreads. On the left-hand page, example sentences and explanations are found, while the right-hand page has practice questions to consolidate what you have learned.

Every five lessons, in both Parts 1 and 2, a set of questions on topics just studied is found. (The same format as the actual examination is used. There are three question areas: Grammar in the sentence 1, Grammar in the sentence 2, and Grammar in longer text).

もぎしけん
### 模擬試験 (Mock Test)

The questions use the same format as in the actual examination. Because questions are drawn from a wide range of topics from the Skills Development section, they enable a comprehensive judgment of ability.

## ■ Usage notes

When forming sentences, it is essential to ensure that grammatical forms agree, and take account of what follows.

| Grammatical form | | Example |
|---|---|---|
| Verb | 動 ない形 | おくれない　＋ように (Part 1-10) |
| | 動 ~~ない~~ -なく | 食べなく　＋なります (Part 1-20) |
| | 動 ~~ます~~ | 歩き　＋ながら (Part 1-2) |
| | 動 辞書形 | 言う　＋ことができます (Part 1-4) |
| | 動 う・よう形　→Page 22 | でかけよう　＋と思います (Part 1-18) |
| | 動 て形　→Page 14 | はいて　＋みます (Part 1-22) |
| | 動 た形　→Page 14 | 行った　＋ことがあります (Part 1-5) |
| | 動 ている | しらべている　＋ところです (Part 1-2) |
| イ adjective | イ形 い | きたない　＋まま (Part 1-8) |
| | イ形 ~~い~~ | おいし　＋そうです (Part 1-8) |
| | イ形 ~~い~~ -く | 大きく　＋します (Part 1-20) |
| | イ形 ~~い~~ -くて | せまくて　＋もいいです (Part 1-6) |
| ナ adjective | ナ形 な | きれいな　＋まま (Part 1-8) |
| | ナ形 ~~な~~ | しんぱい　＋そうです (Part 1-8) |
| | ナ形 ~~な~~ -で | 好きで　＋も (Part 1-16) |
| | ナ形 ~~な~~ -に | きれいに　＋します (Part 1-20) |

| Noun | 名 | 前のアパート　＋より (Part 1-1) |
|---|---|---|
| | 名の | 先月の　＋まま (Part 1-8) |
| | 名で | 子どもで　＋も (Part 1-16) |
| Other | ふつう形 | あった　＋そうです (Part 1-19) |
| | ふつう形 (Exceptions) | |
| | ナ形だ | 好き　＋みたいです (Part 1-12) |
| | ナ形だ -な | しずかな　＋のに (Part 1-16) |
| | 名だ | 男の子　＋かもしれません (Part 1-12) |
| | 名だ -な | 5さいな　＋ので (Part 1-9) |
| | 名だ -の | 12さいの　＋はずです (Part 1-12) |
| | 名する | さんぽ　＋に (Part 1-10) |

(Note): 名する：The noun element of verbs comprising nouns taking する (such as さんぽする and 見学する): さんぽ or けんがく.

＊ In addition to the て, た and う／よう forms, please see pages 14-28 for information on forming the plain, 〜ば／〜なら, potential, passive, causative and causative passive forms.


Conjunctive forms:

Ex.1 「〜より〜のほう」(Part 1-1)

> 名₁　＋より＋ 名₂　のほう

① Added to the noun:

Ex.・わたしより　弟の　ほうが　せが　高いです。

Ex.2 「〜ようです」(Part 1-12)

> ふつう形 (ナ形だ -な・名だ -の)　＋ようです

① Attached to plain forms.

Ex.・へやには　だれも　**いない**ようです。
　・試験は　とても　**むずかしかった**ようです。

② However, present-tense affirmative forms taking ナ adjectives and nouns do not take 〜だ. ナ adjectives take 〜な and nouns take 〜の.

Ex.・けん君は　勉強が　**きらいな**ようですね。
　・マリさんの　けっこんの　話は　**ほんとうの**ようだよ。

＊ This textbook does not cover rarely used conjunctive forms.

## ■ Special symbols and terms used in explanatory text.

| Symbol | Meaning |
|---|---|
| ∞ | Indicates a conjunctive or connecting form and usage directions. |
| ☞ | Notes on usage |
| →第○部○課 | Indicates other parts or sections of the book in which the same type of grammar form is treated. |

The following terms used in ☞-marked material are important in the study of grammatical properties.

| Term | Meaning |
|---|---|
| Statements expressing intention of the speaker | These expressions (such as 〜たい, 〜（よ）うと思う and 〜つもりだ) convey the speaker's wish or intention to do something. |
| Statements expressing inducement | These expressions (such as 〜てください, 〜ましょう and 〜ませんか) are used when the speaker is trying to induce another person to an action. |

## ■ Vocabulary

Vocabulary basically comprises that used in former level 3. However, this textbook does use some words of foreign origin not covered by this standard.

## ■ Notation

As a rule, *kanji* up to former level 3 are presented as Chinese characters, not in *hiragana*. However, Chinese characters are used, with *furigana*, for some phrases that do not come under former level 3.

## ■ Study time

Study times are as shown below.

　　Part 1: 50-minute class × 1 for one section

　　Part 2: 50-minute class × 1 for one section

# この本に出てくる人物

Story characters appearing in this textbook

トム
日本に留学中
日本語学校の学生
ホームステイしている

Tom: An overseas student at a Japanese language school in Japan, on a homestay

サラ
日本に留学中
日本語学校の学生

Sarah: An overseas student at a Japanese language school in Japan

山田
トムのホームステイ先の
お父さん・お母さん

The Yamadas: Father and mother of household where Tom is spending his homestay

はな
山田さんの娘
3歳

Hana: The Yamadas' three-year-old daughter

けん
山田さんの息子
9歳

Ken: The Yamadas' nine-year-old son

ジョン
トムの兄
会社員
日本に住んでいる

John: Tom's brother, a company employee and resident of Japan

リサ
トムとサラのクラスメート

Lisa: Classmate of Tom and Sarah

その他　日本語学校の先生　日本の友人など

Others: Teachers at the Japanese language school, Japanese friends, etc.

# I 文の文法1（文法形式の判断）

文の意味を考え、それに合う文法形式を判断する問題です。

---

（　）に　何を　入れますか。1・2・3・4から　いちばん　いい　ものを　一つ
えらんで　ください。

**【例題1】**

　これは　旅行に　持って　（　　　）　物を　書いた　メモです。

　　1　いる　　　　　　2　いく　　　　　　3　ある　　　　　4　おく

**【例題2】**

　A「あしたは　何時ごろ　時間が　ありますか。」

　B「あしたですか。午後なら、何時　（　　　）　だいじょうぶです。」

　　1　も　　　　　　　2　でも　　　　　　3　にも　　　　　4　には

---

　**【例題1】**では、（　　　）の前の「持って」と一緒に使い、この文の文脈に合う内容を表す言葉を選びます。ここでは旅行に<u>行く</u>ときの持ち物を言っているので、正しい答えは「2　いく」です。

　**【例題2】**は会話形式の問題です。Aの質問から、どんな内容の答えが求められているかを考えます。疑問詞の「何時」と一緒に使い、午後は時間に関係なくずっと大丈夫だという意味になる言葉を入れます。正しい答えは「2　でも」です。

　このタイプの問題では、文法形式の意味機能や接続の形を正確に知っていることが大切です。

## Ⅱ 文の文法２（文の組み立て）

　いくつかの語句を並べ替えて、文法的に正しく、意味がわかる文を作る問題です。四つの選択肢のうち★の位置になるものを選びます。

---

　____★____ に　入る　ものは　どれですか。１・２・３・４から　いちばん　いい　ものを一つ　えらんで　ください。

【例題３】

　　さっき　____　____　★　____　ぜったい　しっぱいしません。

　　１　説明した　　２　わすれないで　　３　やれば　　４　ことを

【例題４】

　　Ａ「時間が　ないよ。まだ　出かけられない？」

　　Ｂ「今　____　____　★　____　なんだ。もう　ちょっと　待って。」

　　１　いる　　　　２　急いで　　　　３　ところ　　４　じゅんびして

---

　【例題３】「１　説明した」は動詞なので、後には「４　ことを」しか続けることができません。残っている選択肢と組み合わせると、「さっき説明したことをわすれないでやれば、ぜったいしっぱいしません」という文ができます。★の位置になるのは「２　わすれないで」です。

　【例題４】は会話形式の問題です。Ａの話から、時間がないので急いでいる状況がわかります。Ｂはもう少し待ってほしいと言っていますが、選択肢を組み合わせて、「〜ているところ」という文型を使えば、今進行中の行為の説明ができます。全体で「今急いでじゅんびしているところなんだ」という文ができます。★の位置になるのは「１　いる」です。

　このタイプの問題では、表現の意味機能だけでなく、

・その文法形式につく品詞

・組み合わせになる表現

などを知っていることが大切です。

## Ⅲ　文章の文法

作文や手紙などまとまった長さの文章の中で、その文脈に合う言葉を選ぶ問題です。
・前後の文からあてはまる内容を判断して、それに合う言葉を選ぶ問題
・文法的に正しい文にするための言葉を選ぶ問題
・まとまりがある文章にするための言葉を選ぶ問題　　　があります。

**【例題5】** 　 1 　 から 　 5 　 に 　何を 　入れますか。文章の 　意味を 　考えて、
　　　　　　1・2・3・4から 　いちばん 　いい 　ものを 　一つ 　えらんで 　ください。

つぎの 　文章は、「かぜ」に 　ついての 　作文です。

---

かぜ

トム・ブラウン

　先週は 　かぜを 　ひいて 　学校を 　休んで 　しまいました。雨が 　 1 　、
かさを 　わすれて 　ぬれて 　しまったのです。ホームステイを 　して 　いる 　家の
お母さんに、かぜの 　ときは 　おふろに 　入らない 　ほうが 　いいと 　言われました。
わたしは 　びっくりしました。わたしの 　 2 　、おふろに 　入った 　ほうが
いいと 　言います。どうして 　意見が 　ぜんぜん 　ちがうのでしょうか。

　日本では 　むかし 　おふろは 　家の 　外に 　ありました。 3 　、おふろに
入った 　後、体が 　とても 　つめたく 　なりやすかったのです。かぜが 　もっと
ひどく 　 4 　 ので、おふろに 　入らない 　ほうが 　いいと 　言われるように
なったそうです。

　文化の 　ちがいは 　 5 　。

---

1　1　ふったから　　　2　ふるように　　　3　ふってから　　　4　ふったのに
2　1　国には　　　　　2　国では　　　　　3　国にも　　　　　4　国でも
3　1　それから　　　　2　では　　　　　　3　それに　　　　　4　それで
4　1　なるかも 　しれない　　　　　　　　2　なっても 　いい
　　3　なって 　いる　　　　　　　　　　　4　ならない
5　1　おもしろい 　そうです　　　　　　　2　おもしろそうです
　　3　おもしろいと 　思いました　　　　　4　おもしろいと 　言って 　いました

【例題5】の　1　は、前の内容とのつながりを考えて、文法形式を入れる問題です。「雨がふる」と「かさをわすれる」は、逆接のつながりなので、正しい答えは「4　ふったのに」です。

　2　では、助詞を考えます。「言います」という行為が行われる場所を表す「で」、「わたしの国」を「日本」と対比的に説明する「は」を組み合わせます。正しい答えは「2　では」です。

　3　は、前の内容とのつながりを考えて、接続表現を選ぶ問題です。後の文は、前の文の結果になっているので、「4　それで」が正しい答えです。

　4　は、文脈から正しい内容を選びます。ここではかぜがひどくなる可能性があると言っているので、「1　なるかもしれない」が合います。

　5　は、この話を知ったときの筆者の感想を述べている部分なので、「3　おもしろいと思いました」が合います。


　このタイプの問題では、次のようなことについて判断できる力が必要です。

・その文脈に合う内容
　例 週末は楽しかったです。初めて写真ではない富士山を ｛ 見ました。 ／ ×見たでしょう。 ｝

・その文脈での条件に合う形式
　例 わたしは兄が一人います。 ｛ 兄は ／ ×兄が ｝ 日本で働いています。

・文と文のつながり
　例 あした試験がある。 ｛ だから ／ ×それから ｝ 今日はたくさん勉強するつもりだ。

# Ⅰ  Grammar in the sentence 1 (Deciding on the right grammatical form)

You are asked to consider the intended meaning of the text and select the correct corresponding grammatical form.

---

（　　）に 何を 入れますか。1・2・3・4から いちばん いい ものを 一つ えらんで ください。

**Example 1**

　　これは 旅行に 持って （　　　） 物を 書いた メモです。

　　　1　いる　　　　　2　いく　　　　　3　ある　　　　　4　おく

**Example 2**

　　A「あしたは 何時ごろ 時間が ありますか。」

　　B「あしたですか。午後なら、何時 （　　　） だいじょうぶです。」

　　　1　も　　　　　2　でも　　　　　3　にも　　　　　4　には

---

In **Example 1**, the reader is asked to choose the following word that best fits the context of the sentence, inserting it after the word 持って. Here, the correct answer is 2いく, because it refers to what you take with you when you <u>go</u> travelling.

**Example 2** is a conversational question. The student is asked to consider what kind of answer should be given. Combining the term with the interrogative 何時, you need to indicate that any time in the afternoon is okay. The correct answer is 2でも.

With this type of question, it is important to know the semantic function of the grammatical form and the conjunctive form used with it.

**Grammar in the sentence 2 (Sentence composition)**

This question set requires you to arrange phrases, select the correct grammar forms and compose meaningful sentences. You must choose the one of four options that fits the ★ position.

---

＿★＿に　入る　ものは　どれですか。1・2・3・4から　いちばん　いい　ものを　一つ　えらんで　ください。

**Example 3**

さっき ＿＿＿ ＿＿＿ ＿★＿ ＿＿＿ ぜったい　しっぱいしません。

1　説明した　　2　わすれないで　　3　やれば　　4　ことを

**Example 4**

A「時間が　ないよ。まだ　出かけられない？」

B「今 ＿＿＿ ＿＿＿ ＿★＿ ＿＿＿ なんだ。もう　ちょっと　待って。」

1　いる　　　　2　急いで　　　　3　ところ　　4　じゅんびして

---

In **Example 3**, 1 説明した is a verb, and so can only be followed by 4 ことを. Combining it with the choices that remain, you get the statement さっき説明したことをわすれないでやれば、ぜったいしっぱいしません. So the starred blank should be taken by 2 わすれないで.

In **Example 4**, a conversation is quoted. From what A says, you understand that time is short and B must hurry. B wants to wait. Combining the options, if you use the sentence pattern ～ているところ, you can indicate action in progress now. The complete resulting sentence is 今急いでじゅんびしているところなんだ, and the starred blank should be taken by 1 いる.

In this kind of question, it is important to know not only the meaning of the expression, but also

・The part of speech that goes with the grammatical form, and

・The phrases to be combined.

# Ⅲ Grammar in longer text

In this exercise, you choose the terms in the order required by the context, within a sequence of sentences comprising a piece of prose or letter, etc. Questions include:

· Those in which the student decides what terms are needed from the context, and selects appropriately.

· Those in which the student selects words needed to form a grammatically correct sentence, and

· Those in which the student selects the words needed to ensure textual cohesion.

---

**Example 5**   ┌─1─┐ から ┌─5─┐ に 何を 入れますか。文章の 意味を 考えて、

1・2・3・4から いちばん いい ものを 一つ えらんで ください。

つぎの 文章は、「かぜ」に ついての 作文です。

---

かぜ

トム・ブラウン

　先週は　かぜを　ひいて　学校を　休んで　しまいました。雨が ┌─1─┐、かさを　わすれて　ぬれて　しまったのです。ホームステイを　して　いる　家の　お母さんに、かぜの　ときは　おふろに　入らない　ほうが　いいと　言われました。わたしは　びっくりしました。わたしの ┌─2─┐、おふろに　入った　ほうが　いいと　言います。どうして　意見が　ぜんぜん　ちがうのでしょうか。

　日本では　むかし　おふろは　家の　外に　ありました。┌─3─┐、おふろに　入った　後、体が　とても　つめたく　なりやすかったのです。かぜが　もっと　ひどく ┌─4─┐ ので、おふろに　入らない　ほうが　いいと　言われるように　なったそうです。

　文化の　ちがいは ┌─5─┐。

---

| | | | | |
|---|---|---|---|---|
| **1** 1 | ふったから | 2 ふるように | 3 ふってから | 4 ふったのに |
| **2** 1 | 国には | 2 国では | 3 国にも | 4 国でも |
| **3** 1 | それから | 2 では | 3 それに | 4 それで |

**4** 1 なるかも　しれない　　　　　　　2 なっても　いい

 3 なって　いる　　　　　　　　　　4 ならない

**5** 1 おもしろい　そうです　　　　　　2 おもしろそうです

 3 おもしろいと　思いました　　　　4 おもしろいと　言って　いました

In ☐1☐ of **Example 5**, you are required to insert the correct grammatical form with due consideration to the foregoing context. The two phrases 雨がふる and かさをわすれる are contrarily related, so the correct answer is 4 ふったのに.

In ☐2☐, you must think about the particles. You combine the で, which expresses place (relating to the acf of speaking 言います) with the は, which contrasts わたしの国 with 日本. The correct answer is 2 では.

In ☐3☐, you must consider the foregoing context, and choose a conjunctive term. The second statement arises from the preceding statement, so 4 それで is the answer.

In ☐4☐, you must choose the correct term from the context. Here, because the cold may worsen, the right choice is 1 なるかもしれない.

In ☐5☐, the right answer is 3 おもしろいと思いました, because the writer is expressing his or her own thoughts based on what was learned above.


In this kind of question, you must have the ability to:


· Judge correctly whether the sentence is internally cohesive from beginning to end
Ex. 週末は楽しかったです。初めて写真ではない富士山を ⎰ 見ました。⎱
⎰ × 見たでしょう。⎱


· Pick the grammatical form that best suits the context
Ex. わたしは兄が一人います。 ⎰ 兄は ⎱ 日本で働いています。
⎰ × 兄が ⎱


· And correctly connect sentences and phrases
Ex. あした試験がある。 ⎰ だから ⎱ 今日はたくさん勉強するつもりだ。
⎰ × それから ⎱

かたち　　　れんしゅう
# 形の練習

Practising grammatical forms

# 1. 動詞のグループ　Verb groups

There are three groups of verbs. You work out which one a verb belongs to based on the sound before the ます or of the ending of the dictionary form. The rules are different in either case for the て form and potential form, etc.

動詞には三つのグループがあります。「ます」の前の音か、辞書形の終わりの音から、その動詞がどのグループかを考えます。それぞれ、て形や可能の形などを作るときのルールが異なります。

| グループ | ます形 (ますform) | 辞書形 (Dictionary form) | 例 (Example) |
|---|---|---|---|
| I | –います | – う | 買う　使う |
| | –きます・–ぎます | – く・–ぐ | 聞く　行く　およぐ |
| | –します | – す | 話す　出す |
| | –ちます | – つ | 立つ　持つ |
| | –にます | – ぬ | 死ぬ |
| | –びます | – ぶ | 運ぶ　あそぶ |
| | –みます | – む | 読む　飲む |
| | –ります | –aる・–oる・–uる | ある　とる　作る |
| | | –iる | 知る　入る　切る　走る　要る |
| | | –eる | 帰る　すべる |
| II | –i ます | –i る | 見る　いる　着る<br>あびる　できる　起きる |
| | –e ます | –e る | ねる　食べる　開ける　かける<br>変える　聞こえる　考える |
| III | | | する　勉強する　そうじする<br>来る　持ってくる |

れんしゅう

つぎの　動詞の　グループⅠ、Ⅱ、Ⅲを　（　　）に　書いて　ください。

例　開く　　　　　（　Ⅰ　）

1　貸す　　　　（　　　）　　　　2　あんないする　（　　　）

3　こわす　　　（　　　）　　　　4　生きる　　　　（　　　）

5　見せる　　　（　　　）　　　　6　始まる　　　　（　　　）

7　知る　　　　（　　　）　　　　8　出て　くる　　（　　　）

9　ちがう　　　（　　　）　　　　10　わすれる　　　（　　　）

11　おちる　　　（　　　）　　　　12　入る　　　　　（　　　）

13　乗る　　　　（　　　）　　　　14　ふる　　　　　（　　　）

15　とぶ　　　　（　　　）　　　　16　急ぐ　　　　　（　　　）

17　生まれる　　（　　　）　　　　18　出かける　　　（　　　）

19　あげる　　　（　　　）　　　　20　待つ　　　　　（　　　）

## 2.  て形・た形

て形 → 第1部6課-①, 9課-③, 16課-①, 22課-①・②・③, 23課-①・②・③,
第2部7課-A〜E, 9課-1・2, 10課-A〜D
た形 → 第1部2課-②, 5課-①, 8課-③, 11課-②, 13課-②, 15課-①

| グループ | ます形／辞書形<br>(ますform / Dictionary form) | て形 | | て形 | た形 |
|---|---|---|---|---|---|
| I | －きます／－く | －いて | 書きます／　書く　→ | 書いて | 書いた |
| | | | 例外<br>(Exception) 行きます／　行く　→ | 行って | 行った |
| | －ぎます／－ぐ | －いで | ぬぎます／　ぬぐ　→ | ぬいで | ぬいだ |
| | －みます／－む | | 読みます／　読む　→ | 読んで | 読んだ |
| | －びます／－ぶ | －んで | とびます／　とぶ　→ | とんで | とんだ |
| | －にます／－ぬ | | 死にます／　死ぬ　→ | 死んで | 死んだ |
| | －います／－う | | 言います／　言う　→ | 言って | 言った |
| | －ちます／－つ | －って | 持ちます／　持つ　→ | 持って | 持った |
| | －ります／－る | | 作ります／　作る　→ | 作って | 作った |
| | －します／－す | －して | 出します／　出す　→ | 出して | 出した |
| II | -i ます／-i る | －て | い　ます／　いる　→ | い　て | い　た |
| | | | 起き　ます／起きる　→ | 起き　て | 起き　た |
| | | | あび　ます／あびる　→ | あび　て | あび　た |
| | -e ます／-e る | －て | 出　ます／　出る　→ | 出　て | 出　た |
| | | | 食べ　ます／食べる　→ | 食べ　て | 食べ　た |
| | | | あげ　ます／あげる　→ | あげ　て | あげ　た |
| III | | | します／する　→ して | | した |
| | | | 来ます／来る　→ 来て | | 来た |

れんしゅう

## 1. つぎの 動詞を 「て形」に して ください。

例　切る　→　切って

1　飲む　→　＿＿＿＿＿＿＿　　　2　考える　→　＿＿＿＿＿＿＿

3　貸す　→　＿＿＿＿＿＿＿　　　4　電話する　→　＿＿＿＿＿＿＿

5　来る　→　＿＿＿＿＿＿＿　　　6　ふく　→　＿＿＿＿＿＿＿

7　帰る　→　＿＿＿＿＿＿＿　　　8　借りる　→　＿＿＿＿＿＿＿

9　買う　→　＿＿＿＿＿＿＿　　　10　走る　→　＿＿＿＿＿＿＿

11　わかる　→　＿＿＿＿＿＿＿　　12　見える　→　＿＿＿＿＿＿＿

13　かつ　→　＿＿＿＿＿＿＿　　　14　よぶ　→　＿＿＿＿＿＿＿

15　さわぐ　→　＿＿＿＿＿＿＿　　16　着る　→　＿＿＿＿＿＿＿

## 2. （　）の 中の 動詞を 「て形」に して ください。

1　その まどを ＿＿＿＿＿＿＿ ください。（開ける）

2　どうぞ この かさを ＿＿＿＿＿＿＿ ください。（使う）

3　その 写真を ちょっと ＿＿＿＿＿＿＿ ください。（見せる）

4　田中さんは 京都に ＿＿＿＿＿＿＿ います。（住む）

5　今、雨が ＿＿＿＿＿＿＿ います。（ふる）

## 3. つぎの 動詞を 「た形」に して ください。

例　切る　→　切った

1　休む　→　＿＿＿＿＿＿＿　　　2　歩く　→　＿＿＿＿＿＿＿

3　あそぶ　→　＿＿＿＿＿＿＿　　4　おす　→　＿＿＿＿＿＿＿

5　なる　→　＿＿＿＿＿＿＿　　　6　およぐ　→　＿＿＿＿＿＿＿

7　ある　→　＿＿＿＿＿＿＿　　　8　もらう　→　＿＿＿＿＿＿＿

9　おくれる　→　＿＿＿＿＿＿＿　10　待つ　→　＿＿＿＿＿＿＿

11　とる　→　＿＿＿＿＿＿＿　　　12　持って くる　→　＿＿＿＿＿＿＿

# 3. ていねい形とふつう形 Polite form and Plain form

ていねい形 → 第1部9課-①
ふつう形 → 第1部7課-②, 9課-①・②, 11課-①, 12課-①・②・③, 14課-①・③,
　　　　　　15課-②, 16課-②, 17課-①・②, 19課-①・②・③, 第2部15課-④

| | ていねい形 (Polite form) | ふつう形 (Plain form) |
|---|---|---|
| 動詞<br>(Verb) | 買います<br>買いません<br>買いました<br>買いませんでした | 買う<br>買わない<br>買った<br>買わなかった |
| イ形容詞<br>(イ adjective) | 高いです<br>高くないです<br>高かったです<br>高くなかったです | 高い<br>高くない<br>高かった<br>高くなかった |
| ナ形容詞<br>(ナ adjective) | べんりです<br>べんりでは　ありません<br>べんりでした<br>べんりでは　ありませんでした | べんりだ<br>べんりでは　ない<br>べんりだった<br>べんりでは　なかった |
| 名詞<br>(Noun) | 雨です<br>雨では　ありません<br>雨でした<br>雨では　ありませんでした | 雨だ<br>雨では　ない<br>雨だった<br>雨では　なかった |

＊例外：　ありません → ない　　　ありませんでした → なかった
(Exception)
　　　　　いい (です) —よくない (です) —よかった (です) —よくなかった (です)

---

☞ The plain form is used in talking with intimates, and also in literary styles used when writing reports, essays and diaries, etc. (= plain style)

ふつう形は、親しい関係の人と話すときやレポート、論文、日記などを書くときの文体 (＝ふつう体) にも使われます。

例：・トム「これ、食べない？　おいしいよ。」
　　　サラ「うん、食べる。ありがとう。」
　　・コンビニでは　夜　おそい　時間でも　買い物を　する　ことが　できる。

れんしゅう

| 例 書きます | 書く | 書かない | 書いた | 書かなかった |
|---|---|---|---|---|
| 行きます | | 行かない | | |
| およぎます | | | | およがなかった |
| 話します | | | 話した | |
| 死にます | 死ぬ | | | |
| ならびます | | ならばない | | |
| 読みます | | | 読んだ | |
| 会います | 会う | | | |
| 持ちます | | 持たない | | |
| 帰ります | | | 帰った | |
| 見ます | 見る | | | |
| できます | | できない | | |
| ねます | | | | ねなかった |
| 食べます | | | 食べた | |
| します | | しない | | |
| 来ます | 来る | | | |
| 大きいです | | 大きくない | | |
| いいです | いい | | | |
| ほしいです | | | ほしかった | |
| きれいです | | きれいでは ない | | |
| 好きです | | | 好きだった | |
| 病気です | | | | 病気では なかった |
| 休みです | 休みだ | | | |

# 4. 可能の形　The potential form

| グループ | ます形　→　可能の形<br>(ます form)　(Potential form) | | 辞書形　→　可能の形<br>(Dictionary form)　(Potential form) | |
|---|---|---|---|---|
| I | -iます　→　-eます | | -u　→　-eる | |
| | 言います　→　言えます | | 言う　→　言える | |
| | 歩きます　→　歩けます | | 歩く　→　歩ける | |
| | およぎます　→　およげます | | およぐ　→　およげる | |
| | 話します　→　話せます | | 話す　→　話せる | |
| | 立ちます　→　立てます | | 立つ　→　立てる | |
| | 死にます　→　死ねます | | 死ぬ　→　死ねる | |
| | とびます　→　とべます | | とぶ　→　とべる | |
| | 読みます　→　読めます | | 読む　→　読める | |
| | とります　→　とれます | | とる　→　とれる | |
| II | 見ます　→　見られます | | 見る　→　見られる | |
| | 起きます　→　起きられます | | 起きる　→　起きられる | |
| | います　→　いられます | | いる　→　いられる | |
| | ねます　→　ねられます | | ねる　→　ねられる | |
| | 食べます　→　食べられます | | 食べる　→　食べられる | |
| | 答えます　→　答えられます | | 答える　→　答えられる | |
| III | します　→　できます | | する　→　できる | |
| | 来ます　→　来られます | | 来る　→　来られる | |

☞　In the potential form, verbs change form in the same way as Group II verbs.

可能の形になった動詞はグループIIの動詞と同じように形が変わります。

例：　言えます（＝グループIIの動詞）→　言えない　言えて
　　　言います（＝グループIの動詞）→　言わない　言って

1. つぎの 動詞を 「可能の形」に して ください。

例　切る　　　　　→ ＿＿＿＿＿切れる＿＿＿＿＿
　　1　住む　　　　→ ＿＿＿＿＿＿＿＿＿＿
　　2　入れる　　　→ ＿＿＿＿＿＿＿＿＿＿
　　3　かえす　　　→ ＿＿＿＿＿＿＿＿＿＿
　　4　ひく　　　　→ ＿＿＿＿＿＿＿＿＿＿
　　5　れんしゅうする　→ ＿＿＿＿＿＿＿＿＿＿
　　6　のぼる　　　→ ＿＿＿＿＿＿＿＿＿＿
　　7　持って くる　→ ＿＿＿＿＿＿＿＿＿＿
　　8　歌う　　　　→ ＿＿＿＿＿＿＿＿＿＿
　　9　おぼえる　　→ ＿＿＿＿＿＿＿＿＿＿
　　10　走る　　　　→ ＿＿＿＿＿＿＿＿＿＿
　　11　生きる　　　→ ＿＿＿＿＿＿＿＿＿＿
　　12　持つ　　　　→ ＿＿＿＿＿＿＿＿＿＿
　　13　あそぶ　　　→ ＿＿＿＿＿＿＿＿＿＿
　　14　着る　　　　→ ＿＿＿＿＿＿＿＿＿＿
　　15　きめる　　　→ ＿＿＿＿＿＿＿＿＿＿

2. （　）の 中の 動詞を 「可能の形」に して ください。

　　1　この 図書館では 一人 10さつまで 本が ＿＿＿＿＿＿ます。（借りる）
　　2　おさけは ぜんぜん ＿＿＿＿＿＿ません。（飲む）
　　3　金曜日は 夜 8時まで ＿＿＿＿＿＿ますか。（働く）
　　4　車が ＿＿＿＿＿＿ますか。（運転する）
　　5　ここでは けいたい電話は ＿＿＿＿＿＿ません。（使う）

# 5. 「〜ば・〜なら」の形

→ 第1部14課-②

【動詞　Verb】

| I | 辞書形 -u → -eば<br>(Dictionary form) | | |
|---|---|---|---|
| | すう → す**え**ば | すわない → すわなければ | |
| | 歩く → 歩**け**ば | 歩かない → 歩かなければ | |
| | 急ぐ → 急**げ**ば | 急がない → 急がなければ | |
| | 貸す → 貸**せ**ば | 貸さない → 貸さなければ | |
| | 待つ → 待**て**ば | 待たない → 待たなければ | |
| | 死ぬ → 死**ね**ば | 死なない → 死ななければ | |
| | とぶ → と**べ**ば | とばない → とばなければ | |
| | 住む → 住**め**ば | 住まない → 住まなければ | |
| | 作る → 作**れ**ば | 作らない → 作らなければ | |
| | ある → あ**れ**ば | ない → なければ | |
| II | 見る → 見れば | 見ない → 見なければ | |
| | いる → いれば | いない → いなければ | |
| | ねる → ねれば | ねない → ねなければ | |
| | しめる → しめれば | しめない → しめなければ | |
| III | する → すれば | しない → しなければ | |
| | 来る → 来れば | 来ない → 来なければ | |

【イ形容詞　イ adjective】

| 高い → 高ければ | 高くない → 高くなければ |
|---|---|
| 例外 いい → よければ<br>(Exception) | 例外 よくない → よくなければ<br>(Exception) |

【ナ形容詞　ナ adjective／名詞　Noun】

| しずか → しずかなら | しずかではない → しずかでなければ |
|---|---|
| 雨 → 雨なら | 雨ではない → 雨でなければ |

1. つぎの　言葉を　「〜ば・〜なら」の　形に　して　ください。

例　切る　→　　切れば
　　元気　→　　元気なら

1　会う　　　　→　＿＿＿＿＿＿　2　つける　　　→　＿＿＿＿＿＿

3　けす　　　　→　＿＿＿＿＿＿　4　たのむ　　　→　＿＿＿＿＿＿

5　できる　　　→　＿＿＿＿＿＿　6　来る　　　　→　＿＿＿＿＿＿

7　行く　　　　→　＿＿＿＿＿＿　8　間に合う　　→　＿＿＿＿＿＿

9　飲まない　　→　＿＿＿＿＿＿　10　聞かない　→　＿＿＿＿＿＿

11　わからない　→　＿＿＿＿＿＿　12　安い　　　→　＿＿＿＿＿＿

13　むずかしい　→　＿＿＿＿＿＿　14　きれい　　→　＿＿＿＿＿＿

15　遠くない　　→　＿＿＿＿＿＿　16　ひま　　　→　＿＿＿＿＿＿

17　かんたん　　→　＿＿＿＿＿＿　18　重い　病気　→　＿＿＿＿＿

19　いそがしくない　→　＿＿＿＿＿＿＿＿＿

20　休みでは　ない　→　＿＿＿＿＿＿＿＿＿

2. （　　）の　中の　言葉を　「〜ば・〜なら」の　形に　して　ください。

1　この　病気は　薬を　＿＿＿＿＿＿＿＿＿、なおりません。（飲まない）

2　＿＿＿＿＿＿＿＿＿、買いません。（安くない）

3　＿＿＿＿＿＿＿＿＿、うれしいです。（いい　てんだ）

4　説明を　よく　＿＿＿＿＿＿＿＿＿、わかります。（聞く）

5　へやが　＿＿＿＿＿＿＿＿＿、よく　ねむれます。（しずかだ）

# 6. う・よう形

→ 第1部18課-①

| グループ | ます形 ／ 辞書形 → う・よう形<br>(ます form) (Dictionary form) (う／よう form) | | |
|---|---|---|---|
| I | -iます／ -u → -oう | | |
| | 買います／ 買う → 買 お う | | |
| | みがきます／みがく → みが こ う | | |
| | およぎます／およぐ → およ ご う | | |
| | 出します／ 出す → 出 そ う | | |
| | 立ちます／ 立つ → 立 と う | | |
| | 死にます／ 死ぬ → 死 の う | | |
| | よびます／ よぶ → よ ぼ う | | |
| | 飲みます／ 飲む → 飲 も う | | |
| | 帰ります／ 帰る → 帰 ろ う | | |
| II | 見 ます／ 見 る → 見 よう | | |
| | 起き ます／起き る → 起き よう | | |
| | ね ます／ ね る → ね よう | | |
| | あげ ます／あげ る → あげ よう | | |
| III | します／する → しよう | | |
| | 来ます／来る → 来よう | | |

☞ This form is also used as the ～ましょう plain form.

この形は「～ましょう」のふつう形としても使われます。

例：・トム「もう 帰ろうか。」

　　サラ「うん、あした また 来よう。」

1. つぎの 動詞を 「う・よう形」に して ください。

　　　例　切る　　　　→　　　　切ろう

　　　1　来る　　　　→ ＿＿＿＿＿＿　　　2　やめる　→ ＿＿＿＿＿＿

　　　3　さんぽする　→ ＿＿＿＿＿＿　　　4　おく　　→ ＿＿＿＿＿＿

　　　5　あびる　　　→ ＿＿＿＿＿＿　　　6　話す　　→ ＿＿＿＿＿＿

　　　7　読む　　　　→ ＿＿＿＿＿＿　　　8　急ぐ　　→ ＿＿＿＿＿＿

　　　9　入る　　　　→ ＿＿＿＿＿＿　　10　出る　　→ ＿＿＿＿＿＿

　　11　もらう　　　→ ＿＿＿＿＿＿　　12　持つ　　→ ＿＿＿＿＿＿

　　13　教える　　　→ ＿＿＿＿＿＿　　14　おりる　→ ＿＿＿＿＿＿

　　15　運ぶ　　　　→ ＿＿＿＿＿＿

2. つぎの 動詞を 「う・よう形」に して ください。

　　1　あした　仕事を ＿＿＿＿＿＿＿ と 思って います。(休む)

　　2　テニスを ＿＿＿＿＿＿ と 思って います。(習う)

　　3　友だちに　お金を ＿＿＿＿＿＿＿とは　思いません。(借りる)

　　4　A「まど、しめない?」

　　　　B「うん、＿＿＿＿＿＿＿。」(しめる)

　　5　A「雨が　ふって　きたから、タクシーで ＿＿＿＿＿＿＿か。」(行く)

　　　　B「そうだね。そう ＿＿＿＿＿＿＿。」(する)

## 7. 受身の形　The passive form

→ 第1部24課-①・②・③

| グループ | ます形 (ます form) | → | 受身の形 (Passive form) | 辞書形 (Dictionary form) | → | 受身の形 (Passive form) |
|---|---|---|---|---|---|---|
| I | -iます | → | -aれます | -u | → | -aれる |
|  | 言います | → | 言われます | 言う | → | 言われる |
|  | なきます | → | なかれます | なく | → | なかれる |
|  | さわぎます | → | さわがれます | さわぐ | → | さわがれる |
|  | 話します | → | 話されます | 話す | → | 話される |
|  | 立ちます | → | 立たれます | 立つ | → | 立たれる |
|  | 死にます | → | 死なれます | 死ぬ | → | 死なれる |
|  | よびます | → | よばれます | よぶ | → | よばれる |
|  | ふみます | → | ふまれます | ふむ | → | ふまれる |
|  | しかります | → | しかられます | しかる | → | しかられる |
| II | 見ます | → | 見られます | 見る | → | 見られる |
|  | います | → | いられます | いる | → | いられる |
|  | ねます | → | ねられます | ねる | → | ねられる |
|  | ほめます | → | ほめられます | ほめる | → | ほめられる |
| III | します | → | されます | する | → | される |
|  | 来ます | → | 来られます | 来る | → | 来られる |

☞ With Group II verbs and くる, the passive and potential forms are the same.
グループIIの動詞と「来る」は、「受身の形」と「可能の形」が同じです。

## 1. つぎの 動詞を 「受身の形」に して ください。

例　切る　　　　　→　　　　切られる

| | | | | | | | |
|---|---|---|---|---|---|---|---|
| 1 | 開ける | → | _____ | 2 | とる | → | _____ |
| 3 | たのむ | → | _____ | 4 | おす | → | _____ |
| 5 | わらう | → | _____ | 6 | そだてる | → | _____ |
| 7 | 売る | → | _____ | 8 | 立つ | → | _____ |
| 9 | すわる | → | _____ | 10 | 食べる | → | _____ |
| 11 | すてる | → | _____ | 12 | たたく | → | _____ |
| 13 | 持って くる | → | _____ | 14 | 注意する | → | _____ |
| 15 | 見る | → | _____ | | | | |

## 2. （　）の 中の 動詞を 「受身の形」に して ください。

1　わたしは　林さんの　うちに　＿＿＿＿＿＿＿ました。（しょうたいする）

2　どろぼうに　さいふを　＿＿＿＿＿＿＿ました。（ぬすむ）

3　女の　人に　道を　＿＿＿＿＿＿＿ました。（聞く）

4　妹に　ぼくの　おもちゃを　＿＿＿＿＿＿＿ました。（こわす）

5　この　建物は　100年前に　＿＿＿＿＿＿＿ました。（建てる）

## 8. 使役の形 The causative form

→ 第1部25課-1

| グループ | ます形<br>(ます form) | → | 使役の形<br>(Causative form) | 辞書形<br>(Dictionary form) | → | 使役の形<br>(Causative form) |
|---|---|---|---|---|---|---|
| I | -i ます | → | -a せます | -u | → | -a せる |
| | 言います | → | 言わせます | 言う | → | 言わせる |
| | なきます | → | なかせます | なく | → | なかせる |
| | およぎます | → | およがせます | およぐ | → | およがせる |
| | 話します | → | 話させます | 話す | → | 話させる |
| | 立ちます | → | 立たせます | 立つ | → | 立たせる |
| | 死にます | → | 死なせます | 死ぬ | → | 死なせる |
| | あそびます | → | あそばせます | あそぶ | → | あそばせる |
| | 飲みます | → | 飲ませます | 飲む | → | 飲ませる |
| | すわります | → | すわらせます | すわる | → | すわらせる |
| II | 見ます | → | 見させます | 見る | → | 見させる |
| | います | → | いさせます | いる | → | いさせる |
| | かけます | → | かけさせます | かける | → | かけさせる |
| | やめます | → | やめさせます | やめる | → | やめさせる |
| III | します | → | させます | する | → | させる |
| | 来ます | → | 来させます | 来る | → | 来させる |

れんしゅう

1. つぎの 動詞を 「使役の形」に して ください。

例 歌う → ___歌わせる___

1 書く → _____  2 運ぶ → _____
3 走る → _____  4 答える → _____
5 休む → _____  6 出す → _____
7 手伝う → _____  8 待つ → _____
9 急ぐ → _____  10 食べる → _____
11 こまる → _____  12 れんしゅうする → _____
13 しらべる → _____  14 着る → _____

2. ( )の 中の 動詞を 「使役の形」に して ください。

1 わたしは 子どもに へやを _____ます。(かたづける)
2 社長は よく みんなを _____ます。(わらう)
3 子どもを おふろに _____ます。(入る)
4 子どもに 長い 時間 ゲームで _____ません。(あそぶ)
5 先生は 学生を じむ室へ _____ました。(来る)

# 9. 使役受身の形 The causative passive form

→ 第1部25課−②

| グループ | 辞書形 → (Dictionary form) | 使役受身の形1 (Causative passive form 1) | 使役受身の形2 (Causative passive form 2) |
|---|---|---|---|
| Ⅰ | -u → | -a される *1 | -a せられる |
| | はらう → | はら わ される | はら わ せられる |
| | 聞く → | 聞 か される | 聞 か せられる |
| | 急ぐ → | 急 が される | 急 が せられる |
| | 話す → | ——— *2 | 話 さ せられる |
| | 立つ → | 立 た される | 立 た せられる |
| | 運ぶ → | 運 ば される | 運 ば せられる |
| | 飲む → | 飲 ま される | 飲 ま せられる |
| | すわる → | すわ ら される | すわ ら せられる |
| Ⅱ | 着る → | ——— | 着させられる |
| | いる → | ——— | いさせられる |
| | ねる → | ——— | ねさせられる |
| | 考える → | ——— | 考えさせられる |
| Ⅲ | する → | ——— | させられる |
| | 来る → | ——— | 来させられる |

\*1　Group I verbs are often used in the causative passive form 1 (-aされる).

\*2　However, verbs with a dictionary form that ends in す (はなす, だす, おす, etc.) and Groups II and III verbs do not have -aされる form.

\*1　グループⅠの動詞は使役受身の形1（「-aされる」）の方がよく使われます。

\*2　ただし、辞書形が「す」で終わる動詞（話す・出す・おすなど）と、グループⅡの動詞、グループⅢの動詞は「-aされる」の形はありません。

1. つぎの 動詞を 「使役受身の形」に して ください。

　　例　歌う　→　　　　歌わされる（歌わせられる）

　　1　なく　→　＿＿＿＿＿＿＿＿＿＿＿＿＿

　　2　持つ　→　＿＿＿＿＿＿＿＿＿＿＿＿＿

　　3　読む　→　＿＿＿＿＿＿＿＿＿＿＿＿＿

　　4　出す　→　＿＿＿＿＿＿＿＿＿＿＿＿＿

　　5　やめる　→　＿＿＿＿＿＿＿＿＿＿＿＿＿

　　6　答える　→　＿＿＿＿＿＿＿＿＿＿＿＿＿

　　7　帰る　→　＿＿＿＿＿＿＿＿＿＿＿＿＿

　　8　買う　→　＿＿＿＿＿＿＿＿＿＿＿＿＿

　　9　およぐ　→　＿＿＿＿＿＿＿＿＿＿＿＿＿

　　10　すわる　→　＿＿＿＿＿＿＿＿＿＿＿＿＿

　　11　待つ　→　＿＿＿＿＿＿＿＿＿＿＿＿＿

　　12　つける　→　＿＿＿＿＿＿＿＿＿＿＿＿＿

　　13　する　→　＿＿＿＿＿＿＿＿＿＿＿＿＿

2. （　）の 中の 動詞を 「使役受身の形」に して ください。

　　1　社長に 日曜日も 会社に ＿＿＿＿＿＿＿＿＿ます。（来る）

　　2　兄に ご飯を ＿＿＿＿＿＿＿＿＿ました。（作る）

　　3　父に 家の 仕事を ＿＿＿＿＿＿＿＿＿ました。（手伝う）

　　4　子どもの ころ、きらいな やさいを ＿＿＿＿＿＿＿＿＿ました。（食べる）

　　5　テレビを 見て いる とき、母に 買い物に ＿＿＿＿＿＿＿＿＿ました。

　　　　　　　　　　　　　　　　　　　　　　　　　　　　　（行く）

## 1 〜より…／〜ほど…ません

①この　アパートは　前の　アパートより　べんりです。

②わたしは　いつも　両親より　早く　起きます。

③わたしは　何より　音楽が　好きです。

④A「この　町は　今は　にぎやかですが、むかしは　どうでしたか。」

　B「むかしは　今ほど　にぎやかでは　ありませんでしたよ。」

🔖 名 ＋より　　名 ＋ほど…ません

👉 Used to express the extent of something forming a topic, by comparison with something else. The superlative is expressed through the format interrogative＋より ③. With negative comparisons, you use the form 〜ほど…ません ④.
　話題として取り上げたものの程度を、ほかのものと比べる言い方。「疑問詞＋より」の形で最上級を表す（③）。否定文では「〜ほど…ません」という形で使う（④）。

## 2 〜より〜のほう

①わたしより　弟の　ほうが　せが　高いです。

②前の　テキストの　ほうが　この　テキストより　よかったです。

③わたしは　ご飯より　パンの　ほうを　よく　食べます。

🔖 名₁ ＋より＋名₂ ＋のほう

👉 A way of expressing a preference, or comparison of extent of two things (noun 2 > noun 1). It is not usually used in negative statements.
　二つのものを比べて、一方（名₂）が他方（名₁）より程度が上（名₂＞名₁）であることを表す。ふつう、否定文では使わない。

## 3 〜と〜とどちら

①コーヒーと　紅茶と　どちらが　いいですか。

②A「東駅まで　バスと　電車と　どちらが　安いですか。」

　B「バスの　ほうが　10円　安いです。」

③A「テレビで　アニメと　ニュースと　どちらを　よく　見ますか。」

　B「どちらも　あまり　見ませんが……。」

🔖 名₁ ＋と＋名₂ ＋とどちら

👉 A way of asking somebody to express a preference, or comparison of extent of two things. The answer will usually take the 〜のほう or どちらも forms (②③).
　二つのものの程度を比べて聞く言い方。この質問にはふつう「〜のほう／どちらも」の形で答える（②③）。

れんしゅう1 （　）の　中の　言葉を　正しい　形に　して、書いて　ください。

1　大きい　じしんが　ありました。本だなが ＿＿＿＿＿＿＿＿そうでした。（たおれる）

2　少し　つかれました。でも、こんばんは　ゆっくり ＿＿＿＿＿＿＿そうです。

（ねられる）

3　ほしが　たくさん　出て　いるね。あしたは　天気が ＿＿＿＿＿＿＿そうだね。

（いい）

4　ちょっと　見ましたが、この　店には　いい　品物は ＿＿＿＿＿＿＿そうですよ。

（ない）

5　妹は ＿＿＿＿＿＿＿がって、おきゃくさんに　あいさつしません。（はずかしい）

6　試合に　まけました。みんなは ＿＿＿＿＿＿＿がって　います。（ざんねん）

7　この　村は　いつまでも ＿＿＿＿＿＿＿ままですね。（むかし）

8　スリッパを ＿＿＿＿＿＿＿まま、たたみの　へやに　入らないで　ください。（はく）

れんしゅう2 aか　bか　いい　ほうを　えらんで　ください。

1　（a わたしは　　b あの　人は）　お金が　ありそうです。

2　わあ、（a きれいな　　b きれいそうな）　花ですね。

3　あしたは　あまり　（a 寒くなさそう　　b 寒そうも　ない）ですね。

4　わたしは　じこの　話を　聞いて、（a おどろきました　　b おどろきそうでした）。

5　弟は　（a なきそうな　　b なきそうに）　顔で　「ごめんね」と　言いました。

6　子どもたちは　（a 楽しそうな　　b 楽しそうに）　歌を　歌って　います。

7　わたしは　来週　（a たいいんしそうです　　b たいいんできそうです）。

8　ほら、あの子が　おもちゃを　（a ほしがって　いるよ　　b ほしがるよ）。

9　ちゅうしゃは　いたいです。（a わたしは　　b 子どもたちは）　とても　いやがります。

10　あの　人は　（a まじめそうですね　　b まじめがって　いますね）。

11　バスに　（a 乗って　　b 乗った　まま）　仕事へ　行きます。

12　めがねを　かけた　まま　（a 本を　読みました　　b ねました）。

13　母は　朝　出かけた　まま　（a まだ　家に　帰りません　　b すぐ　家に　帰りました）。

# 9課　〜から…・〜からです　〜ので…　〜て…・〜くて…・〜で…

## 1　〜から…・〜からです

① ちょっと　用事が　ありますから、今日は　先に　帰ります。

② あぶないから、さわらないで！

③ スピーチが　上手に　できませんでした。れんしゅうが　足りなかったからです。

✍ ふつう形／ていねい形　＋から　　ふつう形　＋からです

☞ Used to explain cause, reason or grounds, somewhat emphatically.
原因・理由・根拠を強く言うときに使う。

## 2　〜ので…

① すみません、頭が　いたいので、今日は　休みます。

② この　子は　まだ　5さいなので、バス代は　かかりません。

③ 雨が　ふって　いたので、今日は　さんぽに　行かなかった。

✍ ふつう形（ナ形だ -な・名だ -な）　＋ので

☞ Expresses cause and reason. It is a more polite form than 〜から, and cannot be used before phrases with imperatives, (よめ、みろ、こい, etc.), and polite everyday formulas such as すみません、ありがとう, etc.
原因・理由を表す。「〜から」よりも丁寧な言い方。後には命令の文（読め・見ろ・来いなど）やあいさつ表現（すみません・ありがとうなど）は来ない。

## 3　〜て…・〜くて…・〜で…

① きのうは　たくさん　仕事が　あって、たいへんでした。

② 友だちが　いなくて、さびしい。

③ しんぱいで、よく　ねむれませんでした。

④ 教えて　くれて、ありがとう。

⑤ おくれて、すみませんでした。

動 て形・イ形い -くて・ナ形な -で・名 で　　否定の形：〜なくて
(Negative form)

☞ Used to express cause and reason. It often expresses cause and reason for emotions and perceptions, more so than 〜から and 〜ので. In addition to words expressing mood, such as こまる and さびしい, it is often followed by terms expressing impossibility and polite everyday formulas such as すみません and ありがとう. It cannot be followed by statements of hope, intention or inducement on the part of the speaker.
原因・理由を表す。「〜から・〜ので」よりも、ある感情や感覚の原因・理由を言うことが多い。後には「こまる・さびしい」など、気持ちを表す言葉のほかに、不可能表現や「すみません・ありがとう」などのあいさつ表現が来ることが多い。話者の希望・意向を表す文や相手への働きかけの文は来ない。

れんしゅう1 （　　）の 中の 言葉を 正しい 形に して、書いて ください。

1 ぼくは ＿＿＿＿＿＿＿から、あまり お金が ない。（学生）

2 あしたは ＿＿＿＿＿＿＿ので、一日中 家に います。（休み）

3 10年前、まだ ＿＿＿＿＿＿＿ので、一人で 生活できませんでした。（中学生）

4 きのうは 天気が ＿＿＿＿＿＿＿ので、サイクリングに 行きました。（いい）

5 ゆっくり お話が ＿＿＿＿＿＿＿、楽しかったです。（できる）

6 この どうぐは 使い方が ＿＿＿＿＿＿＿、よく わかりません。（ふくざつ）

7 お手伝いが あまり ＿＿＿＿＿＿＿、ごめんなさい。（できる）

8 試合に ＿＿＿＿＿＿＿、ざんねんでした。つぎは がんばりましょう。（かてる）

れんしゅう2 aか bか いい ほうを えらんで ください。

1 けん「はな、もう （a おそいから　　b おそいですから）、早く ねよう。」
   はな「うん。」

2 まだ 時間が （a あるので　　b あって）、お茶を 飲みませんか。

3 （a おくれたので　　b おくれて）、すみませんでした。

4 しずかに してよ。うるさくて、（a 勉強しないよ　　b 勉強できないよ）。

5 先生の 話が よく （a わからないで　　b わからなくて）、こまりました。

6 今 （a いそがしいから　　b いそがしくて）、ちょっと 待ってね。

7 先週の 会には （a 行けなくて　　b 行けなかったから）、今週は かならず
   行きますよ。

8 長い 時間 働いて、（a つかれました　　b 少し 休みましょう）。

9 トムさんが （a 待って いて　　b 待って いるから）、早く 来て。

10 道が わからなくて、（a 行けませんでした　　b 人に 聞きます）。

11 サラさんが 教えて くれたので、（a わかりました　　b ありがとう）。

# 10課 〜に…　〜ため(に)…　〜ように…

## 1 〜に…

① 父は　こうえんへ　さんぽに　行きました。

② うちに　さいふを　わすれたので、とりに　帰ります。

③ あした、8時に　友だちが　うちに　むかえに　来る。

🔗 名<del>する</del>・動<del>ます</del>　＋に

☞ Expresses the purpose of movement. Before に, a word expressing intentional action or behavior comes, and after に, a limited number of verbs of motion, such as いきます、きます、かえります or もどります. Used for everyday, routine expressions of intent.
移動の目的を表す。「に」の前には意志的動作を表す言葉、後には「行きます・来ます・帰ります・もどります」など、限られた移動動詞が来る。日常的な軽い目的を言う場合に使われる。

## 2 〜ため(に)…

① けっこんしきの　ために、いろいろ　じゅんびを　して　います。

② アニメの　勉強の　ために、日本に　りゅうがくします。

③ 社長は　会議に　しゅっせきする　ため、アメリカへ　行きました。

④ これは　漢字を　れんしゅうする　ための　本です。

🔗 名の・動辞書形　＋ため(に)　　　　名の・動辞書形　＋ための＋名

☞ Expresses the purpose of an action. It is attached to words expressing intentional actions, and the subject is the same before and after the ため(に).
行為の目的を表す。意志的行為を表す言葉につく。「ため(に)」の前後の主語は同じ。

## 3 〜ように…

① 話が　よく　聞こえるように、前の　ほうに　すわりましょう。

② いい　風が　入るように、まどを　大きく　開けた。

③ ゆきの　日、学校に　おくれないように、早く　家を　出ました。

④ けがを　しないように、気を　つけてね。

🔗 動辞書形／ない形　＋ように

☞ Used to express one's wish that something should occur. It is added to verbs that do not include the intention of the speaker (non-volitional verbs, verbs expressing possibility (①), and verbs for which the subject is the third person (②)).
〜になってほしいという期待を表す。話者の意志を含まない動詞(無意志動詞・可能の意味の動詞(①)・三人称が主語になる動詞(②)など)につく。

れんしゅう1 （　）の　中の　言葉を　正しい　形に　して、書いて　ください。

1 あした、東京スカイツリーの　＿＿＿＿＿＿＿に　行きます。（見物する）

2 あの　人は　毎日　この　店に　パンを　＿＿＿＿＿＿＿に　来ますね。（買う）

3 新しい　会社を　＿＿＿＿＿＿＿　ために、がんばって　います。（つくる）

4 早く　ねつが　＿＿＿＿＿＿＿ように、薬を　飲みました。（下がる）

5 サラ「ああ、わたしは　おぼえた　漢字を　すぐ　わすれる。こまったなあ。」
　　トム「ぼくは　＿＿＿＿＿＿＿ように、毎日　れんしゅうして　いるよ。」（わすれる）

れんしゅう2 いちばん　いい　ものを　えらんで　ください。

1 あした　3時に　東駅に　来て　ください。駅まで　（　　）　行きます。
　　a むかえて　　　　　　b むかえに　　　　　　c むかえるように

2 先生の　（　　）　質問を　しに　行きます。
　　a へやで　　　　　　　b へやへ　　　　　　　c へやの

3 これは　会話の　力を　しらべる　（　　）　試験です。
　　a ために　　　　　　　b ための　　　　　　　c ためにの

4 朝　7時の　新幹線に　（　　）　早く　起きます。
　　a 間に合いに　　　　　b 間に合う　ために　　c 間に合うように

5 よく　（　　）、めがねを　かけます。
　　a 見える　ために　　　b 見えるように　　　　c 見るように

6 外から　（　　）、カーテンを　しめましょう。
　　a 見ない　ために　　　b 見るように　　　　　c 見えないように

7 あれ？　さっき　サラさんは　だれに　（　　）　来たの？
　　a 会いに　　　　　　　b 会うように　　　　　c 会えるように

8 弟は　やきゅうの　（　　）　行って、今　家に　いません。
　　a れんしゅうに　　b れんしゅうできる　ために　　c れんしゅうするように

## まとめ問題（１課～10課）

もんだい1　（　　）に　何を　入れますか。1・2・3・4から　いちばん　いい　もの
　　　　　を　一つ　えらんで　ください。

1　A「今は　よやくだけ　して　ください。お金は　後でも　いいですよ。」
　　B「あ、今（　　　）。よかった。」
　　1　払っても　いいですか　　　　　　　2　払わなくても　いいですか
　　3　払っては　いけませんか　　　　　　4　払わなければ　なりませんか

2　ゆうびんきょくの　人「スミスさん、にもつですよ。はんこを　おねがいします。」
　　スミス　　　　　　　　「はんこが　ありません。サイン（　　　）いいですか。」
　　1　が　　　　　　　2　では　　　　　　3　でも　　　　　　4　だと

3　あれ？　あの　子は　こんな　所に　かばんを（　　　）、どこへ　行ったんだろう。
　　1　おいたまま　　　2　おいたから　　　3　おきながら　　　4　おくために

4　A「この　りんご、まだ　少し　青いですよね。だいじょうぶでしょうか。」
　　B「だいじょうぶ。もう（　　　）そうですよ。」
　　1　食べ　　　　　　2　食べた　　　　　3　食べられ　　　　4　食べたがり

5　火を（　　　）いい　料理は　かんたんで　いいですよね。
　　1　使うと　　　　　2　使わないと　　　3　使っても　　　　4　使わなくても

6　来週、ちょっと　わたしの　仕事を（　　　）来て　くれませんか。
　　1　手伝って　　　　2　手伝いに　　　　3　手伝うので　　　4　手伝うように

もんだい2　★に　入る　ものは　どれですか。1・2・3・4から　いちばん
　　　　　いい　ものを　一つ　えらんで　ください。

1　ジョンさんに　会えて＿＿＿　＿＿＿　★　＿＿＿　2時間も　話しました。
　　1　立った　　　　　　　　　　　　　2　うれしかった
　　3　ので　　　　　　　　　　　　　　4　まま

2　A「ぼく、一人で　住みたいと　思って、今　へやを　さがして　いるんだ。」
　　B「そう、＿＿＿　＿＿＿　★　＿＿＿　ね。
　　1　いい　　　　　　2　いいの　　　　3　見つかると　　　4　が

54　　　実力養成編　第1部　意味機能別の文法形式

3 A「この へや、午前の 会議の ままですね。かたづけましょうか。」

B「後で 旅行の ＿＿＿＿ ＿＿＿＿ ★ ＿＿＿＿ かたづけなくても いいよ。」

1 そうだんを する        2 使う

3 ために        4 から

もんだい3 1 から 4 に 何を 入れますか。文章の 意味を 考えて 1・2・3・4から いちばん いい ものを 一つ えらんで ください。

---

ご近所の みなさんへ

みなさんは もう 着ない 服、 1 おさらや なべ、かびんなどを どうしますか。おく 場所が なくて、すてたいと 思った ことは ありませんか。

2 、ちょっと 待って ください。すてては いけません。あなたが 使わない 物を 3 売る ことが できます。それが フリーマーケットです。

フリーマーケットは いらない 物を 売る 所です。そして、ほしい 物が 安い ねだんで 買える 所です。フリーマーケットは 月に 一度、こうえんの 中で 開きます。売る 物は 4 。新しくなくても いいです。

みなさん、フリーマーケットに 店を 出して みませんか。

---

1 1 使えそうな        2 使いたい

   3 使いそうも ない        4 使った ことが ある

2 1 だから        2 でも

   3 それから        4 そして

3 1 使った 人に        2 使った 人でも

   3 使いたい 人が        4 使いたい 人に

4 1 何でも いいです        2 何か いいですか

   3 何が ほしいですか        4 何も ありません

# 11 課 （〜も）〜し、（〜も）…　　〜たり〜たりします

## 1 （〜も）〜し、（〜も）…

A①にもつも 多いし、雨も ふって いるし、タクシーで 行きましょう。

②ねだんも ちょうど いいし、この ベッドを 買います。

③今日は 早く 帰りたい。ちょっと 頭が いたいし……。

✍ （名も＋）ふつう形 ＋し、（（名も＋）ふつう形 ＋し）

☞ Used when you list multiple reasons for something. If 〜し is used only once, there is an implication that other (unspoken) reasons may also apply (②③).
複数の理由を重ねて言うときの言い方。「〜し」が一つの場合でも、理由がほかにもあるという含みがある（②③）。

B①この 店の パンは おいしいし、安いです。

②母は 仕事も よく するし、しゅみも 多いです。

③ハワイでは きれいな 海で およぎたいし、買い物も したい。

✍ （名も＋）ふつう形 ＋し、（＋名も）

☞ Expands on or adds to information already given about something.
同じようなことをさらに重ねて言う言い方。

## 2 〜たり〜たりします

A①休みの 日は プールで およいだり テニスを したり します。

②パーティーの ために 料理を 作ったり 飲み物を 買ったり した。

③病気が なおって、もう 何でも 食べたり 飲んだり できます。

✍ 動た形 ＋り＋動た形 ＋りします

☞ Used to express a string of actions or behaviors, with no regard to sequence in time.
時間的順序に関係なく、いくつかの行為をすることを表す。

B①きのうは 一日中 雨が ふったり やんだり して いました。

②そばは たいいんした 後、ねたり 起きたり して います。

③はなちゃん、ドアを 開けたり しめたり しないで。

✍ 動た形 ＋り＋動た形 ＋りします

☞ Used when verbs with opposite meanings occur together. It expresses the repeated nature of both actions and behaviors.
意味が対立する動詞を並べて、二つの動きが繰り返すことを表す。

れんしゅう1 （　　）の 中の 言葉を 正しい 形に して、書いて ください。

1　この アパートは ＿＿＿＿＿＿＿＿＿＿し、べんりですよ。（きれい）

2　きのうは ドライブに 行った。天気も ＿＿＿＿＿＿＿＿＿＿し、楽しかった。（いい）

3　この アルバイトは いいよ。かんたんな ＿＿＿＿＿＿＿＿＿＿し、おもしろいし……。

（仕事）

4　ねつが 上がったり ＿＿＿＿＿＿＿＿＿＿して います。今は 37度です。（下がる）

5　サラ「夏休みは どうだった？」
　　リサ「旅行に 行ったり アルバイトを ＿＿＿＿＿＿＿＿＿＿して、いそがしかった。」

（する）

れんしゅう2 いちばん いい ものを えらんで ください。

1　駅前を 人が おおぜい （　　） して います。
　　a 行くし 来るし　　　　b 行ったり 来たり　　　　c 行ったし 来たし

2　どうして 立ったり （　　） して いるんですか。
　　a 歩いたり　　　　　　b すわったり　　　　　c 食べたり

3　パーティーで ゲームを したり 歌を （　　） あそびました。
　　a 歌って　　　　　　　b 歌ったり　　　　　c 歌ったり して

4　早く 国へ （　　） 友だちに 会ったり 母の 料理を 食べたり したいです。
　　a 帰って　　　　　　　b 帰ったり　　　　　c 帰るし

5　日本では 富士山に （　　） 京都に 行ったり したいです。
　　a のぼって　　　　　　b のぼったり　　　　　c のぼるし

6　ハイキングでは、いろいろな 花を 見たし、馬にも （　　）。
　　a 乗りたかったです　　b 乗れませんでした　　　c 乗りました

7　お金も （　　） いそがしかったから、国へは 帰りませんでした。
　　a なかったし　　　　　b なかったり　　　　　c なかったり して

8　この なべは べんりですよ。（　　）……。
　　a パンも やけたり、ご飯も 作れるし　　b パンも やけるし、ご飯も 作れるし
　　c パンも やけて、ご飯も 作れたり

## 12 課 ～かもしれません　　～はずです　　～ようです・～みたいです

### 1 ～かもしれません

①あしたは　ゆきが　ふる<u>かも　しれません</u>ね。

②この　ノートは　サラさんの<u>かも　しれない</u>よ。

③あの　ときの　言い方は　正しくなかった<u>かも　しれない</u>なあ。

④今度の　仕事は　たいへん<u>かも　しれない</u>けど、がんばってね。

ふつう形（ナ形だ・名だ）　+かもしれません

☞ Expresses possibility or potentiality.
可能性があることを表す。

### 2 ～はずです

①この　犬は　2さいの　とき　うちに　来たのです。今年　12さいの　<u>はずです</u>。

②食べて　みて。しんせんな　魚だから、おいしい　<u>はずだ</u>よ。

③あしたの　会には　山川先生も　しゅっせきする　<u>はずです</u>。

④3時の　ひこうきですから、母は　もう　ひこうきに　乗った　<u>はずです</u>。

ふつう形（ナ形だ-な・名だ-の）　+はずです

☞ Used to make an objectively grounded statement you are confident of.
客観的な根拠によって確信していることを言うときに使う。

### 3 ～ようです・～みたいです

①この　肉は　少し　古い<u>ようです</u>。へんな　においが　します。

②けん君は　本が　好きな<u>ようです</u>ね。いつも　何か　読んで　います。

③はなちゃんは　この　おかしが　ほしい<u>みたいだ</u>ね。こちらを　見て　いるよ。

④お母さん、げんかんに　だれか　来た<u>みたいだ</u>よ。トントンと　音が　したよ。

ふつう形（ナ形だ-な・名だ-の）　+ようです

ふつう形（ナ形だ・名だ）　+みたいです

☞ Used to make a statement based on the speakers' personal surmise or impression. ～みたいです is best avoided in formal situations.
話者の個人的な観察から推量したことを言うときに使う。「～みたいです」は改まった場面では使わないほうがよい。

れんしゅう1 （ ）の 中の 言葉を 正しい 形に して、書いて ください。

1 おなかの 中の 赤ちゃんは ＿＿＿＿＿＿＿かも しれないね。（男の 子）

2 サラさんは おさけは あまり ＿＿＿＿＿＿＿かも しれませんよ。（飲む）

3 この データは ＿＿＿＿＿＿＿ はずですよ。（正しい）

4 駅前の 歯医者さんは 今日 ＿＿＿＿＿＿＿ はずです。（休み）

5 また しっぱいした。この やり方では ＿＿＿＿＿＿＿ようだ。（だめ）

6 マリさんの けっこんの 話は ＿＿＿＿＿＿＿ようだよ。（ほんとう）

7 この ねこ、トムが とても ＿＿＿＿＿＿＿みたいだね。（好き）

れんしゅう2 いちばん いい ものを えらんで ください。

1 けん、ろうかを 走らないで。けがを する（ ）。

　　a かも しれないよ　　　　b はずだよ　　　　　　　　c ようだよ

2 サラさん、どうしましたか。だいじょうぶですか。元気が ない（ ）……。

　　a かも しれませんが　　b はずですが　　　　　　　c ようですが

3 ちょっと 頭が いたい（ ）。今日は 早く 帰ります。

　　a かも しれません　　　b みたいです　　　　　　　c です

4 ああ、8月3日ですか。わたしは その 日、日本に いない（ ）。

　　a かも しれません　　　　b ようです　　　　　　　c みたいです

5 お姉さんの 赤ちゃんの 写真ですか。わあ、わらって いて、（ ）。

　　a かわいいですね　　　　b かわいそうですね　　c かわいいみたいですね

6 この コンサートは 5時に 終わる （ ）から、その 後 食事を しよう。

　　a かも しれない　　　　b はずだ　　　　　　　c みたい

7 サラ「ジョンさん、おそいね。もう 来ない（①　）。」

　　トム「いや、来ると 言ったから、来る （②　）。」

　①a かも しれないね　　　b はずだね　　　　　　　　c はずかも しれないね

　②a だろうか　　　　　　b はずだよ　　　　　　　c ようだよ

# 13課 〜なさい　〜ほうがいいです　〜ないと

## 1 〜なさい

① 子どもは　早く　ねなさい。

② しゅくだいを　出しなさい。

③ つぎの　言葉を　漢字で　書きなさい。

🔖 動 ますます　＋なさい

👉 Used by teachers giving instructions to students and parents to children. Also used for instructions for examinations (③).
教師が学生に、親が子に指示を出すときに使う。また、試験の指示文で使う（③）。

## 2 〜ほうがいいです

① 会場に　行く　前に　地図で　場所を　しらべたほうが　いいですね。

② 寒いから、コートを　着たほうが　いいよ。

③ ねつが　あるの？　じゃ、出かけないほうが　いいよ。

🔖 動 た形／ない形　＋ほうがいいです

👉 Expresses a mild warning. It is often used when you want to suggest an undesirable result that will likely arise if something is not done; it often takes final particles such as よ and ね.
勧告を表す。〜しなければ悪い結果になりそうなときに使われることが多い。終助詞（よ・ねなど）をつけることが多い。

## 3 〜ないと

① けん、ご飯の　前には　手を　あらわないと。

② あ、わすれて　いた。電話しないと。

③ 早く　起きて。ほら、急がないと。間に合わないよ。

🔖 動 ない形　＋と

👉 Used to instigate personal action or action by the other person when you feel that a situation will deteriorate unless something is done. A colloquial expression.
〜をしないとよくない状況になるという気持ちで自分自身や相手に行動を促すときに使われる。口語的な言い方。

れんしゅう1 （　）の 中の 言葉を 正しい 形に して、書いて ください。

1 けん、ほんとうの ことを ＿＿＿＿＿＿＿＿なさい。（言う）

2 空が 暗いので、かさを ＿＿＿＿＿＿＿＿ほうが いいですね。（持って いく）

3 あまり たばこを ＿＿＿＿＿＿＿＿ほうが いいですよ。（すう）

4 けん、10時よ。もう ゲームを ＿＿＿＿＿＿＿＿と。（やめる）


れんしゅう2 いちばん いい ものを えらんで ください。

1 トム「サラ、しょうらいの 仕事の ことは もっと よく （　　）。」
　 サラ「そうだね。」
　　 a 考えなさい　　　 b 考えたほうが いいよ　　　 c 考えましょうか

2 あ、山田さん、わたしも いっしょに 帰ります。ちょっと （　　）。
　　 a 待ちなさい　　　 b 待って ください　　　　　 c 待ったほうが いいです

3 あぶないよ。そんなに スピードを （　　）。
　　 a 出さないほうが いいよ　　　　　 b 出したほうが よくないよ
　　 c 出さなかったほうが いいよ

4 大事な やくそくだから、（　　）。
　　 a 忘れないと　　　 b おくれないと　　　　　　 c 紙に 書かないと

5 けん「お父さん、けがを して いる ときは おさけを （　　）。」
　 父 「そうだな。」
　　 a 飲みなさい　　　 b 飲まないほうが いいよ　　 c 飲まないと

6 けん「お母さん、もう 7時だよ。」
　 母 「ご飯を （　　）ね。ちょっと 待って いて。」
　　 a 作りなさい　　　 b 作らないほうが いい　　　 c 作らないと

7 たかし君、そんなに （　　）。ぼくが 悪かったよ。ごめんね。
　　 a おこって　　　 b おこらないで　　　　　　 c おこらないと

8 【試験問題】 つぎの 問題に （　　）。
　　 a 答えなさい　　　 b 答えたほうが いい　　　 c 答えないと


13課　〜なさい　〜ほうがいいです　〜ないと ── 61

## 14課　〜たら…　　〜ば…・〜なら…　　〜と…

---

### 1　〜たら…

①もし　水が　なかったら、わたしたちは　生きられません。

②もし　大きい　じしんが　起きたら、すぐ　つくえの　下に　入って　ください。

③あした　天気が　よかったら、どこかへ　行きませんか。

✍ ふつう形（「-た・-なかった」だけ）　＋ら

☞ Expresses the idea that when ~ is assumed, … will result. Often used with もし.

〜と仮定したとき、…が成り立つことを表す。「もし」をよく一緒に使う。

---

### 2　〜ば…・〜なら…

①バスに　乗れば、駅まで　10分です。

②じしょを　使わなければ、この　本は　読めません。

③もし　暑ければ、クーラーを　つけましょうか。

④子どもの　名前は、男の子なら　「こうた」、女の子なら　「みちる」が　いいです。

　→「〜ば・〜ならの形」　20ページ

☞ Expresses the idea that when condition ~ is met, … will arise or result. When ~ is a verb expressing an action, … cannot be followed by statements expressing intention of the speaker or of inducement. It is sometimes used together with もし.

〜という条件のときに…が成り立つことを表す。〜が動きを表す動詞のとき、…には話者の意向を表す文や相手への働きかけの文は来ない。「もし」を一緒に使うことがある。

---

### 3　〜と…

①お金を　入れて　ボタンを　おすと、きっぷが　出ます。

②ねむいと、頭が　働きません。

③Mサイズだと、小さいです。Lサイズを　ください。

④あの　かどを　左に　まがると、駅が　見えます。

✍ ふつう形（「-た・-なかった」は使わない）　＋と

☞ Expresses the idea that when ~ arises or happens, it will definitely lead to …. But … cannot be followed by statements expressing intention of the speaker or of inducement.

〜のとき、必ず…になることを表す。…には話者の意向を表す文や相手への働きかけの文は来ない。

**れんしゅう1** （  ）の　中の　言葉を　正しい　形に　して、書いて　ください。

1　おさけを ＿＿＿＿＿＿ら、運転しないで　ください。（飲む）

2　今日　ぜんぶ　仕事が ＿＿＿＿＿＿ら、あしたも　つづきを　します。（終わる）

3　家が ＿＿＿＿＿＿ば、そうじが　たいへんです。（広い）

4　めがねを ①＿＿＿＿＿＿ば、新聞が　読めますが、②＿＿＿＿＿＿ば、ぜんぜん
　　読めません。（かける）

5　天気が ＿＿＿＿＿＿ば、ここから　富士山が　見えます。（いい）

6　日曜日の ＿＿＿＿＿＿なら、時間が　あります。（午後）

7　この　どうぐが ＿＿＿＿＿＿と、べんりです。（ある）

8　休み時間が ＿＿＿＿＿＿と、ゆっくり　休めません。（短い）


**れんしゅう2** いちばん　いい　ものを　えらんで　ください。

1　いい　アイディアが　（  ）、教えて　ください。

　　a　あると　　　　　　　b　あったら　　　　　　　c　あって

2　トム　「すみません、ゆうびんきょくは　どこですか。」
　　女の　人「ここを　まっすぐ　（  ）、右に　まがると、あります。」

　　a　行くと　　　　　　　b　行って　　　　　　　c　行く　とき

3　この　こうえんは、春に　なると、（  ）。

　　a　さくらが　きれいです　　b　さくらを　見ましょう　　c　さくらが　見たいです

4　説明を　よく　読めば、すぐ　（  ）。

　　a　答えて　ください　　　b　答えますよ　　　　c　答えが　わかりますよ

5　勉強を　がんばれば、（  ）。

　　a　いい　てんが　とれます　　b　後で　あそびます　　c　大学に　入りたいです

6　まんがを　（  ）、この　ペンを　使います。

　　a　かいたら　　　　　　b　かくと　　　　　　　c　かく　とき

# 15課 ～たら… ～なら…

## 1 ～たら…

① 3時に なったら、休みましょう。

② この 学校を そつぎょうしたら、何を しますか。

③ おゆが わいたら、火を 止めて ください。

✎ 動 た形 ＋ら

☞ Expresses the idea that when ~ arises or happens, … is or should be done. ~ is not an assumption, but something that you know in advance will happen.

～が実現した後…をすることを表す。～は仮定ではなく、これから実現することがあらかじめわかっていること。

## 2 ～なら…

① サラ「ケーキが おいしい 店を 知りませんか。」

山田「ケーキなら、駅前の セボンが おいしいですよ。」

② トム「春休みに 京都に 行きたいです。」

先生「京都に 行くなら、ガイドブックを 貸しましょうか。」

③【テレビが ついて いるが、子どもは 見て いない】

母「見て いないなら、テレビは もう 消すよ。」

✎ ふつう形（ナ形 だ・名 だ） ＋なら

☞ Expresses speaker's judgment, volition or inducement in light of ~ (information). ~ is a topic raised by another person's words or state.

～という情報を受けて、話者の判断・意志・相手への働きかけを言う言い方。～は他の人の話や様子から取り上げた話題。

れんしゅう1 （　）の　中の　言葉を　正しい　形に　して、書いて　ください。

1 作文を　さいごまで ＿＿＿＿＿＿ら、見せて　ください。（書く）

2 うちへ ＿＿＿＿＿＿ら、少し　休みます。（帰る）

3 朝 ＿＿＿＿＿＿ら、まず　水を　コップ　一ぱい　飲みます。（起きる）

4 夫「新しい　テレビ、買おうか。」
　 妻「テレビを ＿＿＿＿＿＿なら、大きいのが　ほしいな。」（買う）

5 サラ「ピザの　作り方を　知って　いる?」
　 トム「ピザの ＿＿＿＿＿＿なら、この　本に　書いて　あるよ。」（作り方）

6 サラ「あしたは　アルバイトが　休みなんだ。」
　 トム「＿＿＿＿＿＿なら、どこかへ　あそびに　行こうか。」（休み）

7 トム「うーん、ちょっと　頭が……。」
　 山田「頭が ＿＿＿＿＿＿なら、今日は　早く　ねたほうが　いいよ。」（いたい）

8 トム「この　映画は　見ましたよ。」
　 先生「＿＿＿＿＿＿なら、ストーリーを　知って　いるでしょう?」（見る）

れんしゅう2 いちばん　いい　ものを　えらんで　ください。

1 この　本、おもしろいよ。読んだら、（　）。
　 a 貸したよ　　　 b 貸してね　　　 c 貸そうか

2 ケーキを　作るんですか。作ったら、（　）。
　 a 手伝いましょうか　　　 b たまごと　さとうが　ひつようですね
　 c わたしにも　くださいね

3 先生 「サラさんを　見なかった?」
　 ジョー「（　）、さっき　となりの　へやに　いましたよ。」
　 a サラさんなら　 b サラさんを　見たなら　 c サラさんを　見なかったなら

4 サラ「トム、あしたの　パーティーに　行く? トムが　（　）、わたしも　行く。」
　 a 行くなら　　　 b 行ったら　　　 c 行ったなら

5 先生「試験が　（　）、夏休みですから、それまで　がんばって　ください。」
　 a 終わるなら　　　 b 終わったら　　　 c 終わったなら

# まとめ問題（1課～15課）

もんだい1 （　）に 何を 入れますか。1・2・3・4から いちばん いい もの を 一つ えらんで ください。

1 その 魚は （　） かも しれませんよ。ちょっと 悪く なって いるようですから。
　　1 食べても いい
　　2 食べないほうが いい
　　3 食べなければ ならない
　　4 食べた ことが ない

2 今日は 仕事が 多くて （　）、もう ねよう。
　　1 つかれて　　　2 つかれたし　　3 つかれたら　　4 つかれたり

3 母「この まんが、もう すてるよ。」
　　子「あ、（　）。ぼく、まだ 読むから。」
　　1 すてて　　　2 すてると　　3 すてないで　　4 すてないと

4 A「京都駅は つぎだよ。」
　　B「京都に （　）、すぐ 食事を しようね。」
　　1 着いたから　　2 着いたし　　3 着いたなら　　4 着いたら

5 あ、だめですよ。プールに 入る ときは、イヤリングを （　）。
　　1 とらないと　　2 とらなくて　　3 とらなくても　　4 とらないので

6 サラ「自転車を 買いたいんだけど、いい 店を 知らない？」
　　トム「あ、自転車が ほしい （　）、ぼくのを あげる。」
　　1 まま　　　　2 から　　　　3 と　　　　4 なら

もんだい2 ★ に 入る ものは どれですか。1・2・3・4から いちばん いい ものを 一つ えらんで ください。

1 A「ぼくは 毎日 ビールを 3本 飲んで、ご飯を 3ばい 食べるんだよ。」
　　B「え、そんなに ＿＿＿ ＿＿＿ ★ ＿＿＿ したほうが いいよ。」
　　1 少し 運動
　　2 たくさん
　　3 しないで
　　4 飲んだり 食べたり

2 店長は ＿＿＿ ＿＿＿ ★ ＿＿＿ ぼくたちも 早く 帰ろう。
　　1 仕事が
　　2 もう 帰った
　　3 終わったら
　　4 ようだから

3  A「ジョンさんは　今日　来ませんでしたね。」
　　B「ええ、けっこんしきに　出る　ために ＿＿＿ ＿＿＿ ＿★＿ ＿＿＿ です。」

　　1　国へ　帰った　　　　　　　　　　2　日本に　いない

　　3　はず　　　　　　　　　　　　　　4　から


もんだい3　 1 　から　 4 　に　何を　入れますか。文章の　意味を　考えて　1・2・
　　　　　　3・4から　いちばん　いい　ものを　一つ　えらんで　ください。

---

サラさんへ
　　今日、サラさんは　来られなかったけれど、みんなで　来月の　旅行の　そうだんを
しました。きまった　ことを　 1 　。
1．朝、6時40分に　学校の　前に　集まります。バスは　7時に　出発します。
　　出発が　 2 　、道が　こむから、かならず　6時40分までに　来て　ください。
2．朝、急に　体の　ぐあいが　悪く　なったら、すぐ　学校に　電話を　して
　　ください。
3．レストランで　昼ご飯を　食べます。ですから、おべんとうは　持って　 3 　。
4．山の　上は　風も　 4 　、雨も　ふるかも　しれません。かさと　あたたかい
　　上着が　ひつようです。
　　　　　　　　　　　　　　　　　　　　　　　　　　　　　　　　　　　リサ

---

1　1　書きます　　　　　　　　　　　　2　書きそうです

　　3　書きませんか　　　　　　　　　　4　書きなさい

2　1　おくれて　　　　　　　　　　　　2　おくれると

　　3　おくれないと　　　　　　　　　　4　おくれないで

3　1　いかないかも　しれません　　　　2　いかなければ　なりません

　　3　いかない　はずです　　　　　　　4　いかなくても　いいです

4　1　強いし　　　　2　強いので　　　　3　強いと　　　　4　強かったら

## 16課　〜ても…　　〜のに…

---

### 1　〜ても…

①こうはい「あした　ゆきが　ふったら、れんしゅうは　休みですか。」

　せんぱい「いや、ゆきが　ふっても、休みじゃないよ。」

②もし　暑くても、仕事には　スーツを　着て　いきます。

③この　料理は　かんたんです。はじめて　作る　人でも　できます。

④説明が　むずかしくて、何回　読んでも、意味が　わかりません。

⑤山田「ケーキが　好きなんでしょう？　これ、ぜんぶ　どうぞ。」

　トム「え、いくら　好きでも、こんなに　たくさんは　食べませんよ。」

✍️　動て形・イ形い-くて・ナ形な-で・名で　＋も

　　動ない・イ形い-く・ナ形な-で・名で　＋なくても

☞　Indicates that … does not happen or arise as would be expected given ~ (*regardless of, even if,* or *even* are the English equivalents). ~ is either an assumption (①②) or a fact (④⑤). Sometimes, ても is used together with もし, どんなに, いくら and an interrogative (②④⑤).

　〜の場合当然だと考えられることが、成り立たないことを表す。〜は仮定のこと(①②)でも事実(④⑤)でもよい。「もし・どんなに・いくら」や疑問詞を一緒に使うことがある(②④⑤)。

---

### 2　〜のに…

①きのう　しゅくだいを　やったのに、持って　きませんでした。

②雨が　ふって　いないのに、あの　人は　かさを　さして　います。

③この　かばんは　まだ　新しいのに、もう　こわれました。

④はなちゃんは　まだ　３さいなのに、漢字が　わかる。

⑤はな「お兄ちゃん、雨が　ふって　いるよ。」

　けん「ほんとう？　あーあ、今日は　運動会なのに。」

✍️　ふつう形（ナ形だ-な・名だ-な）　＋のに

☞　Indicates that … happens or arises despite what would be expected in light of ~ (*although* is the main English equivalent). のに is used to express the speaker's feelings of surprise or regret, dissatisfaction or reproach, etc. … cannot be followed by statements expressing intention of the speaker or of inducement. のに can also come at the end of a sentence, as in ⑤.

　〜という事実から当然考えられることが成り立たないことを表す。話者の意外な気持ち、残念な気持ち、不満、非難などを伝えるときに使う。…にはふつう話者の意向、相手への働きかけを表す文は来ない。⑤のように文末にも使われる。

**れんしゅう1**　（　　）の　中の　言葉を　正しい　形に　して、書いて　ください。

1　お金が ＿＿＿＿＿＿＿も、しあわせです。（ない）

2　山田さんは、いくら　おさけを ＿＿＿＿＿＿＿も、顔が　赤く　なりません。（飲む）

3　この　店は　どんなに ＿＿＿＿＿＿＿も　同じ　ねだんです。（食べる）

4　森の　中は ＿＿＿＿＿＿＿も　暗いです。（昼）

5　テストで　正しい　答えを ＿＿＿＿＿＿＿のに、てんを　もらえなかった。（書く）

6　わたしは　魚が ＿＿＿＿＿＿＿のに、母は　魚料理を　あまり　作らない。（好き）

7　きのうは　天気が　とても ＿＿＿＿＿＿＿のに、今日は　大雨だ。（いい）

8　お兄ちゃんは ＿＿＿＿＿＿＿のに、学校へ　行かないの？（大学生）


**れんしゅう2**　aか　bか　いい　ほうを　えらんで　ください。

1　会社の　人「この　仕事は　はじめて　する　人には　むずかしいですよ。」

　　サラ　　　「どんなに　（a むずかしかったら　　b むずかしくても）、がんばります。」

2　毎日　その　店の　前を　（a 通るのに　　b 通るので）、店の　名前が　わからない。

3　ほしい　物が　あっても、すぐに　（a 買います　　b 買いません）。

4　あまり　勉強しなかったのに、テストは　（a 悪い　てんでした　　b いい　てんでした）。

5　ひつような　本は　（a 高くても　　b 高いのに）、買って　ください。

6　まだ　仕事が　（a のこって　いますが　　b のこって　いるのに）、少し

　　休みませんか。

7　え、また　けがを　したの？　わたしが　あんなに　（a 注意したが　　b 注意したのに）。

8　（a いつも　　b いつ）来ても、この　店は　こんで　います。

9　もし　彼女が　（a 来ても　　b 来たのに）、今は　会いたくない。

# 17課   ～と…    ～か…・～かどうか…

## 1   ～と…

① はじめて　会った　人には　「はじめまして」と　言います。
② サラ「この　花は　日本語で　何と　言いますか。」
　　山田「すいせんと　言います。」
③ わたしは　「手伝いましょうか」と　聞きました。
④ 先生「ジョーさんの　はっぴょうを　どう　思いますか。」
　　トム「とても　よかったと　思います。」
⑤ 両親は　わたしが　国へ　帰らないと　思って　います。
⑥ じこしょうかいの　作文に　わたしは　歌が　とくいだと　書きました。
⑦ 日本人の　40%が、好きな　きせつは　春だと　答えました。

✍ 名前／ふつう形／「言うこと・言ったこと」 ＋と

☞ Used before proper nouns and quoted speech, and to express thoughts, ideas, etc. When the subject is the third person, ～とおもっています is used rather than ～とおもいます.
名前や発話・考えなどの内容を表す。三人称が主語のときは「～と思います」ではなく、「～と思っています」を使う。
　　　　　　　　　　　　　　　　　　　　　　　　　　　　　　　　→第2部2課2

## 2   ～か…・～かどうか…

① パーティーに　だれが　来るか　教えて　ください。
② きのう　どうやって　帰ったか　おぼえて　いません。
③ サラさんの　誕生日は　いつか　知って　いますか。
④ 旅行に　行けるか　どうか　まだ　わかりません。
⑤ ぶんぽうが　正しいか　どうか　チェックして　ください。
⑥ その　国に　行く　とき　ビザが　ひつようか　どうか　しらべます。

✍ 疑問詞（何・いつ・だれ・どこ…） ＋か
　　疑問詞（何・いつ・だれ・どこ…） ＋ふつう形（ナ形 だ・名 だ） ＋か
　　ふつう形（ナ形 だ・名 だ） ＋かどうか

☞ Used when a question is embedded in a sentence. When an interrogative is included in the question part, か is used; otherwise かどうか is used.
質問の文を他の文中に埋め込むのに使う。質問の文に疑問詞を含むときは「か」、含まないときは「かどうか」を使う。

れんしゅう1　（　）の　中の　言葉を　正しい　形に　して、書いて　ください。

1　山田さんは　今　うちに　＿＿＿＿＿＿と　思います。（いる）

2　今日より　きのうの　ほうが　＿＿＿＿＿＿と　思います。（寒い）

3　東京は　こうつうが　＿＿＿＿＿＿と　思います。（べんり）

4　トムさんは　とても　頭が　＿＿＿＿＿＿と　思います。（いい）

5　ばんご飯に　何を　＿＿＿＿＿＿か　きめましょう。（食べる）

6　あれ、ねこが　いない。どこに　＿＿＿＿＿＿か　知りませんか。（行く）

7　サラさんは　友だちが　＿＿＿＿＿＿か　どうか　しんぱいして　います。（元気）

れんしゅう2　いちばん　いい　ものを　えらんで　ください。

1　○は　日本語で　（　）　言います。

　　a　まるを　　　　　　　　b　まると　　　　　　　　c　まるだと

2　（　）　すしは　ほんとうに　おいしいと　思う。

　　a　ぼくは　　　　　　　　b　トムは　　　　　　　　c　日本人は

3　かぎを　いつ　（　）　ぜんぜん　わかりません。

　　a　なくしたと　　　　　　b　なくしたか　　　　　　c　なくして

4　どうして　ここが　（　）　説明して　ください。

　　a　まちがって　いるの　　b　まちがって　いるか　　c　まちがって　いると

5　さがして　いる　本が　図書館に　（　）　かんたんに　しらべられます。

　　a　あるか　どうか　　　　b　あるか　どうかと　　　c　あるかと

6　この　はこに　何が　（　）　わかりますか。

　　a　入って　いるか　どうか　　b　入って　いるか　　　c　入って　いるのを

7　サラさんから　ジョーさんが　（　）　聞きましたが、ほんとうですか。

　　a　入院したと　　　　　　b　入院したか　　　　　　c　入院したか　どうか

## 18課　～(よ)うと思います　　～つもりです

### 1　～(よ)うと思います

①いい　天気だから、出かけようと　思います。

②旅行に　行くので、かばんを　買おうと　思って　います。

③今日は　帰る　とき、図書館に　よろうと　思って　います。

④来年　ヨーロッパを　旅行しようと　思って　いる。

⑤わたしは　一人で　カラオケに　行こうとは　思いません。

🐾 動 う・よう形　＋と思います　→「う・よう形」22ページ

👉 Expresses intent. The subject is the first person. おもっています is used in cases where the intent dates back some time (② ③ ④). ～とはおもいません is used to express strong denial or rejection (⑤).
意志を表す。主語は一人称。「思っています」は以前から意志が続いているときに使う(②③④)。「～とは思いません」は強い否定の意志を表す(⑤)。

### 2　～つもりです

①先生「夏休みに　何を　しますか。」
　トム「国へ　帰る　つもりです。」

②日曜日は　大そうじを　する　つもりだ。

③妹は　けっこんしきに　この　服を　着て　いく　つもりらしいです。

④今日は　品物を　見る　だけで、何も　買わない　つもりです。

⑤つぎの　日本語能力試験は　うけない　つもりです。

⑥わたしは　自分の　意見を　かえる　つもりは　ありません。

🐾 動 辞書形／ない形　＋つもりです
　　動 辞書形　＋つもりはありません

👉 Used to express intent slightly more strongly than ～ようとおもっています. It is used not when a decision is taken at the time of speaking, but when a previous intention is being affirmed. The subject is the first person. ～そうです, ～らしいです, ～といっていました, etc. are added when the subject is a third person (③). ～つもりはありません(⑥) is a stronger form of negation than ～ないつもりです.
「～ようと思っています」よりもやや強い意志を表す。発話時点に決めたことではなく、以前から意志が固まっているときに使う。主語は一人称。三人称のときは「～そうです・～らしいです・～と言っていました」などをつける(③)。⑥の「～つもりはありません」は「～ないつもりです」よりも強い否定。

れんしゅう1 （　）の　中の　言葉を　正しい　形に　して、書いて　ください。

1 【レストランで】
　山田「何を　食べましょうか。」
　トム「ええと、ぼくは　Aランチに ＿＿＿＿＿＿＿＿ と　思います。」（する）

2 あしたは　この　映画を ＿＿＿＿＿＿＿＿ と　思って　います。（見る）

3 電気店へ　行って、いい　カメラを ＿＿＿＿＿＿＿＿ と　思って　います。（さがす）

4 日本で　たくさん　写真を ＿＿＿＿＿＿＿＿ と　思って　います。（とる）

5 今週は　つかれたので、日曜日は　ゆっくり ＿＿＿＿＿＿＿＿ つもりです。（休む）

6 これからも　すいえいを ＿＿＿＿＿＿＿＿ つもりです。（つづける）

7 お金が　ないので、今週は　もう　おさけを　飲みに ＿＿＿＿＿＿＿＿ つもりです。
（行く）

れんしゅう2 aか　bか　いい　ほうを　えらんで　ください。

1 トム「あしたの　試合に　たかし君も　出る？」
　けん「たかし？　（a 出る　　b 出よう）と　思うよ。」

2 ああ、おいしかった。この　レストランには　また　来ようと　（a 思います
　b 思って　います）。

3 たばこを　やめようと　ずっと　（a 思います　　b 思って　います）が、なかなか
　やめられません。

4 わたしは　夜　おそい　アルバイトを　（a しようとは　思いません
　b しないようと　思って　います）。

5 ピアノの　先生に　（a なろう　　b なるよう）と　思って、ピアノを
　れんしゅうして　います。

6 早く　元気に　なって、（a たいいんできる　つもりです　　b たいいんしたいです）。

7 あ、新しい　店が　できましたね。わたしは　ちょっと　この　店を　（a 見ようと
　思います　　b 見る　つもりです）。どうぞ　お先に。

8 今日は　わたしが　ご飯を　（a 作ろうと　思って　います　　b 作る　つもりだと
　思います）。

9 わたしは　あなたとは　（a けっこんしない　つもりが　あります　　b けっこんする
　つもりは　ありません）。

# 19課 ～と言っていました　～そうです　～らしいです

## 1　～と言っていました

① トムさんは　今日　休むと　言って　いました。

② サラさんは　さいきん　いそがしいと　言って　いましたよ。

③ 山田「お父さんから　電話？　何と　言って　いた？」

　　トム「今日は　ばんご飯は　いらないと　言って　いましたよ。」

✍ ふつう形　＋と言っていました

☞ Used to restate or pass on something said previously by somebody else. The question part uses なんと (③).
以前に他の人が話したことを伝えるときの言い方。質問の文では「何と」という形になる（③）。

## 2　～そうです

① 天気よほうに　よると、あしたは　寒いそうです。

② せんぱいの　話では、この　試験は　あまり　むずかしくないそうだよ。

③ 新聞で　読みましたが、駅前で　火事が　あったそうですね。

✍ ふつう形　＋そうです

☞ Used to restate or pass on information that you have heard or read. It is often used together with ～によると, ～では, or ～でよみましたが, etc, which indicate the origin of the information.
聞いたり読んだりした情報を伝えるときの言い方。情報源を示す「～によると・～では・～で読みましたが」などを一緒に使うことが多い。

## 3　～らしいです

① 聞いた　話では、あの　山には　さるが　いるらしいです。

② うわさに　よると、あの　ホテルは　あまり　よくないらしいよ。

③ じこが　あったらしいですよ。けいさつの　車が　止まって　いました。

④ この　店は　有名らしいね。よく　名前を　聞くよ。

✍ ふつう形（ナ形 だ・名 だ）＋らしいです

☞ An expression used for passing on to another person information obtained from somebody else (① ②), and judgments based on a situation (③④). It is used when the source of information and the details are less clear than with ～そうです.
他から得た情報を伝えるとき（①②）や、状況から判断したことを他の人に伝えるとき（③④）の言い方。「～そうです」よりも情報源や情報の内容がはっきりしないときに使う。

**れんしゅう1**  （　）の　中の　言葉を　正しい　形に　して、書いて　ください。

1　サラさんは　今日は　やくそくが　＿＿＿＿＿＿＿と　言って　いました。（ある）

2　林さんは　お父さんが　病気で　＿＿＿＿＿＿＿と　言って　いました。（たいへん）

3　天気は　これから　だんだん　よく　＿＿＿＿＿＿＿そうです。（なる）

4　試験は　1課から　＿＿＿＿＿＿＿そうです。（10課まで）

5　この　お茶は　体に　＿＿＿＿＿＿＿らしいです。（いい）

6　リナさんは　歌が　とても　＿＿＿＿＿＿＿らしいです。（上手）


**れんしゅう2**　いちばん　いい　ものを　えらんで　ください。

1　ニュースに　よると、さいきん　円が　高く　なって　いる（　　）。

　　a　と　言って　いました　　b　そうです　　　　　　　c　と　言いました

2　この　おてらは　300年前に　（　　）。

　　a　建てられたそうです　　　b　建てられるそうでした　　c　建てられたそうでした

3　先生の　話では、来週の　月曜日は　学校が　（　　）そうです。

　　a　休み　　　　　　　　　　b　休みだ　　　　　　　　　c　休む

4　トム「めずらしい　くだものですね。」

　　山田「ええ、あけび（　　）。」

　　a　と　言います　　　　　　b　と　言って　いました　　c　そうです

5　山田「あれ？　はなは　ケーキ、食べないの？」

　　けん「うん、はなは　（　　）。」

　　a　食べたくないらしい　　　b　食べたいらしくない　　　c　食べたいそうでは　ない

6　田中さんは　さっき　電話で　少し　おくれる（　　）。

　　a　そうです　　　　　　　　b　と　言って　いました　　c　らしいです

7　トム「母から　メールが　来ました。わたしの　日本の　生活を　見に、来月　（　　）

　　　　　　そうです。」

　　先生「いいですね。ひさしぶりに　お母さんに　会えますね。」

　　a　母も　日本に　来る　　　b　母も　日本に　行く　　　c　わたしも　日本に　行く

# 20課 ～くします・～にします<br>～くなります・～になります・～ようになります

## 1 ～くします・～にします

① テレビの 音を 大きく しました。

② この ズボンを 少し 短く して ください。

③ つくえの 上を きれいに しましょう。

④ ご飯の りょうを 半分に して ください。

⑤ かみの けの 色を 茶色に したいです。

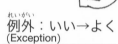

✐ イ形い -く・ナ形な -に・名 に ＋します　例外：いい→よく<br>(Exception)

☞ Used when somebody deliberately makes a change to a thing or situation.<br>人が意志的に状態を変えることを表す。

## 2 ～くなります・～になります・～ようになります

① 子犬は すぐ 大きく なります。

② ていねいに そうじすれば、へやが もっと きれいに なります。

③ さいきん、この 店では おきゃくさんの かずが 半分に なりました。

④ 日本語が 上手に 話せるように なりたいです。

⑤ うちの にわに 鳥が 来るように なりました。

⑥ このごろ、前ほど 本を 読まなく なった。

✐ イ形い -く・ナ形な -に・名 に ＋なります　例外：いい→よく<br>(Exception)

　動 辞書形＋ように ＋なります

　動 ない -なく ＋なります

☞ Expresses change in a thing or situation. It is not used with verbs that already express change (かわる, ふとる, ふえる, etc.).<br>変化を表す。もともと変化を表す動詞(変わる・太る・増えるなど)には使わない。

れんしゅう1 （　）の　中の　言葉を　正しい　形に　して、書いて　ください。

1　漢字の　まちがいを　もっと　＿＿＿＿＿＿＿　したいです。（少ない）

2　カーテンを　もう　少し　明るい　＿＿＿＿＿＿＿　します。（色）

3　さとうを　入れて、コーヒーを　＿＿＿＿＿＿＿　しましょう。（あまい）

4　さいきん、ちょっと　＿＿＿＿＿＿＿　なりました。（いそがしい）

5　あの　店は　サービスが　＿＿＿＿＿＿＿　なりました。（いい）

6　もう　少し　れんしゅうすれば、＿＿＿＿＿＿＿　なりますよ。（上手）

7　日本語の　新聞が　＿＿＿＿＿＿＿　なりたいです。（読める）

8　メモを　なくして、やくそくの　時間が　＿＿＿＿＿＿＿　なりました。（わからない）

れんしゅう2　aか　bか　いい　ほうを　えらんで　ください。

1　雨が　やんで、いい　天気に　（a　なりました　　b　しました）。

2　はなちゃんは　1さいの　ときに、歩けるように　（a　なりました　　b　しました）。

3　寒いですね。エアコンを　強く　（a　なりましょう　　b　しましょう）。

4　おじいちゃん、早く　元気に　（a　なってね　　b　してね）。

5　おふろは　あまり　あつく　（a　ならない　　b　しない）ほうが　いいですよ。

6　大人に　（①a　なったら　　b　したら）、何に　（②a　なりたいの　　b　したいの）？

7　売れないので、ねだんを　安く　（a　なりましょう　　b　しましょう）。

8　れんしゅうして、もっと　はやく　（a　およぐ　　b　およげる）ように　なりたい。

9　日本では　子どもが　（a　少なく　なるように　なりました　　b　少なく　なりました）。

10　去年より　3キロ　（a　太りました　　b　太るように　なりました）。

11　この　おもちゃ、動かなく　（a　なったよ　　b　したよ）。こわれたかな？

12　この　へや、暗いですね。もっと　明るく　（a　しましょう　　b　なりましょう）。

13　ショッピングセンターが　できて、とても　べんりに　（a　なりました　　b　しました）。

14　へんですね。テレビの　音が　小さく　（a　しません　　b　なりません）。

15　このごろ、あまり　ゲームを　（a　しなく　なった　　b　するように　ならなかった）。

もんだい1　（　　）に　何を　入れますか。1・2・3・4から　いちばん　いい　もの
　　　　　を　一つ　えらんで　ください。

1　A「ざっしを　買ったんですか。」
　　B「ええ、電車の　中で　読む　（　　）　買いました。」
　　1　つもりで　　　　2　はずで　　　　　3　ところで　　　　4　ためで

2　A「うーん。スケートは　むずかしいね。うまく　できない。」
　　B「だいじょうぶ。れんしゅうすれば、すぐに　（　　）　なるよ。」
　　1　すべるように　　　　　　　　　2　すべれるように
　　3　すべりそうに　　　　　　　　　4　すべるのに

3　A「あ、ここは　ボールペンで　書くんですか。」
　　B「ボールペンが　（　　）、えんぴつで　書いても　いいですよ。」
　　1　ないのに　　　　2　なくて　　　　　3　なかったら　　　4　なくては

4　つぎの　電車が　何時に　（　　）　知って　いますか。
　　1　来たら　　　　　2　来ると　　　　　3　来るのは　　　　4　来るか

5　もっと　早く　うちを　（　　）　と　思って　いたけど、おそく　なりました。
　　1　出る　　　　　　2　出よう　　　　　3　出そう　　　　　4　出るそう

6　この　説明は　よく　わかりません。もっと　（　　）　ほうが　いいと　思います。
　　1　くわしく　なった　　　　　　　2　くわしく　した
　　3　くわしかった　　　　　　　　　4　くわしいの

もんだい2　＿★＿に　入る　ものは　どれですか。1・2・3・4から　いちばん
　　　　　いい　ものを　一つ　えらんで　ください。

1　この　近くに　＿＿＿　＿＿＿　＿★＿　＿＿＿　妹が　言って　いました。
　　1　と　　　　　　　　　　　　　　2　スペイン料理の
　　3　らしい　　　　　　　　　　　　4　レストランが　ある

2　買い物を　する　ときは、ほんとうに　＿＿＿　＿＿＿　＿★＿　＿＿＿　買いなさい。
　　1　考えて　　　　2　いる　　　　　　3　から　　　　　4　か　どうか

3 A「少し　やせましたか。どうしたんですか。」

B「そうですねえ。さいきん、前　＿＿＿　＿＿＿　★　＿＿＿　でしょう。」

1　食べなく　　　2　から　　　　3　ほど　　　　4　なった

もんだい3　　1　　から　　4　　に　何を　入れますか。文章の　意味を　考えて　1・2・3・4から　いちばん　いい　ものを　一つ　えらんで　ください。

---

バーゲンセール

サラ・スミス

　日本では　すてきな　物を　たくさん　売って　いますが、　1　高くて　なかなか買えません。しかし、安く　買う　ための　チャンスが　あります。バーゲンセールです。わたしも　新しい　くつが　　2　、今週末、友だちと　いっしょにデパートの　バーゲンに　行きます。わたしが　ほしかった　くつは、バーゲンの前まで　1万円でした。まだ　　3　　わかりませんが、安く　なって　いたら買おうと　思って　います。

　バーゲンセールは　1月と　7月に　ある　ことが　多いですが、さいきんは　前より少し　早く　始まるそうです。バーゲンの　日には　人が　おおぜい　デパートへ行くので、デパートは　とても　こみます。高い　物を　買いたくない　人が　　4　　。

---

1　1　ほしそうでも　　　　　　　　2　ほしそうだと

　　3　ほしくても　　　　　　　　　4　ほしければ

2　1　買いたいのに　　　　　　　　2　買いたいので

　　3　買いたいのは　　　　　　　　4　買いたいのが

3　1　あるか　どうか　　　　　　　2　あったか　どうか

　　3　何が　あるか　　　　　　　　4　何が　あったか

4　1　多く　なったようです　　　　2　多く　したようです

　　3　多かったそうです　　　　　　4　多かったようです

## 1 〜にします・〜ことにします

①ばんご飯は　カレーに　します。

②つぎの　れんしゅうの　日は　金曜日に　しませんか。

③この　ケーキ、おいしそうですね。これに　します。

④今日から　たばこを　やめる　ことに　します。

⑤夏休みは　国へは　帰らない　ことに　しました。

🔗 名 ＋にします

　　動 辞書形／ない形　＋ことにします

👉 Expresses a decision in some matter, based on the speaker's personal volition. It implies a positive attitude.
話者の個人的な意志で、あることを決めることを表す。積極的な態度を表す。

## 2 〜になります・〜ことになります

①さよならパーティーは　3月15日に　なりました。

②チームの　名前は　「さむらい」に　なりました。

③駅前に　高い　ビルが　建つ　ことに　なりました。

④社長は　来月、アメリカに　行く　ことに　なるだろう。

⑤来年、けっこんする　ことに　なりました。

⑥雨で　試合は　しない　ことに　なりました。

🔗 名 ＋になります

　　動 辞書形／ない形　＋ことになります

👉 Expresses a decision in some matter, regardless of the speaker's personal volition. The form is also used when a decision is in fact based on the volition of the speaker, but the speaker does not want to state this directly (⑤).
話者の個人的な意志に関係なく、あることが決まることを表す。自分の意志で決めたことでも、それを前面に出さずに言うときにも使う（⑤）。

れんしゅう1 （　）の 中の 言葉を 正しい 形に して、書いて ください。

1　飲み物は ＿＿＿＿＿＿＿ します。(紅茶)

2　ねだんが 安いので、これを ＿＿＿＿＿＿＿ します。(買う)

3　雨なので、どこへも ＿＿＿＿＿＿＿ しました。(出かける)

4　体の ために、おさけは あまり ＿＿＿＿＿＿＿ しました。(飲む)

5　パーティーの 会場は ＿＿＿＿＿＿＿ なりました。(ABC会館)

6　つぎの 会議は ＿＿＿＿＿＿＿ なりました。(来週の 火曜日)

7　4月から この 会社で ＿＿＿＿＿＿＿ なりました。(働く)


れんしゅう2　aか bか いい ほうを えらんで ください。

1　【レストランで】
　　店員 「肉と魚、どちらに (①a なりますか　　b しますか)。」
　　きゃく「じゃ、わたしは 魚に (②a なります　　b します)。」

2　今日 会議が あった。今度の 会長は 田中さんに (a なった　　b した)。

3　ねつが あるので、今日は 仕事を 休む ことに (a なりました　　b しました)。

4　林さんが わたしを 家に しょうたいして くれる ことに (a なりました
　　b しました)。

5　あしたから ダイエットを する ことに (a なります　　b します)。

6　こうえんの 中に サッカー場が できる ことに (a なりました　　b しました)。

7　けん「お父さん、あしたは ぼくの 誕生日だよ。」
　　父 「わかった。あしたは 早く 帰って くる ことに (a なるよ　　b するよ)。」

8　A「4月から さくら町へ 行く バスは なくなる ことに (①a なりました
　　　b しました)。」
　　B「じゃ、これからは 毎日 歩く ことに (②a なろう　　b しよう)。」

9　父 「おもちゃが いろいろ あるね。どれが いい?」
　　はな「わたし、これに (a なる　　b する)。」

10　先生「トムさんは、今日は 来て いませんね。」
　　サラ「国から お母さんが 来る ことに (a なって　　b して)、空港に
　　　　行きました。」

21課　〜にします・〜ことにします　〜になります・〜ことになります —— 81

## 22 課（か）　〜てみます　　〜ておきます　　〜てしまいます

## 1 ｜ 〜てみます

① くつを　買（か）う　前（まえ）に、はいて　みます。
② 一度（いちど）　京都（きょうと）へ　行（い）って　みたい。
③ この　料理（りょうり）を　食（た）べて　みて　ください。
④ この　ゲームは　おもしろいよ。トムも　やって　みない？

🐛 動（どう）て形（けい）　＋みます

👉 Used when trying something out to see if it is good or appropriate, or when expressing an inclination to know about the nature of something. It is also used when making a mild recommendation to another person (③ ④). It is added to verbs that express intentional behavior.
いいかどうか試（ため）すときや、どんなものか知（し）りたいという気持（きも）ちを伝（つた）えるときに使（つか）う。相手（あいて）に軽（かる）い気持（きも）ちで勧（すす）めるときにも使（つか）う（③④）。意志的行為（いしてきこうい）を表（あらわ）す動詞（どうし）につく。

## 2 ｜ 〜ておきます

① にもつを　かばんに　入（い）れて　おきます。
② ごみを　外（そと）に　出（だ）して　おきましょう。
③ 旅行（りょこう）の　話（はなし）は　サラに　伝（つた）えて　おいたよ。
④ まどは　そのまま　開（あ）けて　おいて　ください。

🐛 動（どう）て形（けい）　＋おきます

👉 Added to verbs to suggest that an action is being taken to avoid possible future trouble, or pre-emptively. As in ④, it is also used to indicate that the action of the verb should continue. It is added to verbs that express intentional behavior.
後（あと）で困（こま）らないように、またはあることに備（そな）えて何（なに）かをすることを表（あらわ）す。④のようにそのままの状態（じょうたい）を継続（けいぞく）するという意味（いみ）にも使（つか）う。意志的行為（いしてきこうい）を表（あらわ）す動詞（どうし）につく。

## 3 ｜ 〜てしまいます

① レポートは　あした　出（だ）して　しまいます。
② 今日（きょう）　買（か）った　本（ほん）は　もう　読（よ）んで　しまった。
③ あの　人（ひと）の　名前（なまえ）を　わすれて　しまいました。
④ あ、白（しろ）い　服（ふく）が　よごれて　しまいますよ。

🐛 動（どう）て形（けい）　＋しまいます

👉 Expresses rapid or early completion of an action or behavior (① ②), as well as regret at failing to do something or making an error that cannot easily be undone (③ ④).
最後（さいご）まで早々（はやばや）と完了（かんりょう）すること（①②）や、後戻（あともど）りできず残念（ざんねん）なこと（③④）を表（あらわ）す。

れんしゅう1 （　）の 中の 言葉を 正しい 形に して、書いて ください。

1　おいしい ワインですよ。＿＿＿＿＿＿＿ みませんか。（飲む）

2　おきゃくさんが 来るので、へやを ＿＿＿＿＿＿＿ おきましょう。（そうじする）

3　A「かぎは どこですか。」

　　B「つくえの 上に ＿＿＿＿＿＿＿ おきましたよ。」（おく）

4　あ、ほかの 人の かさを ＿＿＿＿＿＿＿ しまった。（持って くる）

5　ビルが できて、ここから 富士山が ＿＿＿＿＿＿＿ しまいました。

（見えなく なる）


れんしゅう2 いちばん いい ものを えらんで ください。

1　紙は もう ぜんぶ （　　）。

　　a 使って みました　　b 使って おきました　　c 使って しまいました

2　これ、おみやげの ぼうしです。ちょっと （　　）ください。

　　a かぶって みて　　　b かぶって おいて　　　c かぶって しまって

3　その はさみは まだ 使います。（　　）ください。

　　a 出して みて　　　b 出して おいて　　　c 出して しまって

4　A「この 新聞、まだ 読む？ かたづけても いい？」

　　B「あ、ちょっと 待って。今 （　　）から。」

　　a 読んで みる　　　b 読んで おく　　　c 読んで しまう

5　A「山本さんが いませんね。あしたの 会議の 時間を 知って いるでしょうか。」

　　B「だいじょうぶです。きのう、メールで （　　）。」

　　a れんらくして みました　　　b れんらくして おきました

　　c れんらくして しまいました

6　A「うーん。道が わからなく （①　　）。」

　　B「あ、あの 人に （②　　）。」

　①a なって みました　　b なって おきました　　c なって しまいました
　②a 聞いて みましょう　　b 聞いて おきましょう　　c 聞いて しまいましょう

## 23 課(か)　あげます・～てあげます　　くれます・～てくれます　もらいます・～てもらいます

### 1 ｜ あげます・～てあげます

①妹(いもうと)は　サラさんに　花(はな)を　あげました。
②先生(せんせい)に　カップを　さしあげました。
③サッカー場(じょう)に　行(い)くの？　地図(ちず)を　かいて　あげるよ。

🔗 名(めい)を　＋あげます・さしあげます
　　動(どう)て形(けい)　＋あげます・さしあげます

☞ The subject is the speaker or somebody emotionally close to the speaker. The person affected by ("receiving") the thing or gesture is a person other than the speaker. When the person affected by ("receiving") the thing or gesture is of higher status but outside the family (teacher, company president, customer, etc.), さしあげます is used.
主語(しゅご)は話者(わしゃ)、または心理的(しんりてき)に話者(わしゃ)に近(ちか)い人(ひと)。物(もの)や行為(こうい)を受(う)ける人(ひと)は話者以外(わしゃいがい)の人(ひと)。家族以外(かぞくいがい)の目上(めうえ)の人(ひと)（先生(せんせい)、社長(しゃちょう)、客(きゃく)など）に与(あた)えるときは「さしあげます」を使(つか)う。

### 2 ｜ くれます・～てくれます

①山田(やまだ)さんは　わたしに　時計(とけい)を　くれました。
②先生(せんせい)が　妹(いもうと)に　本(ほん)を　くださいました。
③友(とも)だちが　店(みせ)の　場所(ばしょ)を　教(おし)えて　くれました。
④サラさんは　いっしょに　病院(びょういん)へ　行(い)って　くれた。

🔗 名(めい)を　＋くれます・くださいます　　　動(どう)て形(けい)　＋くれます・くださいます

☞ The subject is somebody other than the speaker. The person affected by ("receiving") the thing or gesture is the speaker, or somebody emotionally close to the speaker. When it is a matter of receiving something from someone of higher status who is outside the family, くださいます is used.
主語(しゅご)は話者以外(わしゃいがい)の人(ひと)。物(もの)や行為(こうい)を受(う)ける人(ひと)は話者(わしゃ)、または心理的(しんりてき)に話者(わしゃ)に近(ちか)い人(ひと)。家族以外(かぞくいがい)の目上(めうえ)の人(ひと)から受(う)けるときは「くださいます」を使(つか)う。

### 3 ｜ もらいます・～てもらいます

①山田(やまだ)さんに／から　時計(とけい)を　もらいました。
②妹(いもうと)は　先生(せんせい)に／から　本(ほん)を　いただきました。
③サラさんに　いっしょに　病院(びょういん)へ　行(い)って　もらった。

🔗 名(めい)を　＋もらいます・いただきます　　　動(どう)て形(けい)　＋もらいます・いただきます

☞ The subject—the person affected by ("receiving") the thing or gesture—is the speaker or somebody emotionally close to the speaker. When it is a matter of receiving something from someone of higher status who is outside the family, いただきます is used.
主語(しゅご)（物(もの)または行為(こうい)を受(う)ける人(ひと)）は話者(わしゃ)、または心理的(しんりてき)に話者(わしゃ)に近(ちか)い人(ひと)。家族以外(かぞくいがい)の目上(めうえ)の人(ひと)から受(う)けるときは「いただきます」を使(つか)う。

れんしゅう1 （　）の　中の　言葉を　正しい　形に　して、書いて　ください。

1　両親に　東京スカイツリーを　＿＿＿＿＿＿＿＿　あげたいです。（見せる）

2　先週、山田さんが　パーティーに　＿＿＿＿＿＿＿＿　くれました。（しょうたいする）

3　先生は　いつも　ていねいに　＿＿＿＿＿＿＿＿　くださいます。（教える）

4　友だちに　＿＿＿＿＿＿＿＿　もらった　写真を　母に　送りました。（とる）

5　すみませんが、作文を　＿＿＿＿＿＿＿＿　いただけませんか。（なおす）


れんしゅう2　いちばん　いい　ものを　えらんで　ください。

1　わたしが　かぜで　ねて　いる　とき、山田さんが　（　　）。

　　a　来て　あげました　　　　b　来て　くれました　　　　c　来て　もらいました

2　今日は　（　　）、ほんとうに　ありがとう。

　　a　手伝って　　　　　　　　b　手伝って　あげて　　　　c　手伝って　くれて

3　きのう　かいた　えを　先生に　見て　（　　）。

　　a　さしあげました　　　　　b　くださいました　　　　c　いただきました

4　レストランで　店員から　（①　　）　カレンダーを、ジョンさんに　（②　　）。

　①a　あげた　　　　　　　　　b　くれた　　　　　　　　　c　もらった

　②a　あげました　　　　　　　b　くれました　　　　　　　c　もらいました

5　トム「この　セーター、サラさんに　（①　　）んです。」

　　山田「へえ、サラさんが　作ったんでしょうか。」

　　トム「ええ、サラさんが　（②　　）んです。」

　①a　あげた　　　　　　　　　b　くれた　　　　　　　　　c　もらった

　②a　作って　あげた　　　　　b　作って　くれた　　　　　c　作って　もらった

6　森さんが　妹に　本を　（①　　）ので、おれいに　おかしを　（②　　）。

　①a　買って　あげた　　　　　b　買って　くれた　　　　　c　買って　もらった

　②a　あげました　　　　　　　b　くれました　　　　　　　c　もらいました

# 24 課 〜(ら)れます

## 1 〜(ら)れます － 受身1 Passive 1

① 今日は　先生に　ほめられました。

② 朝、サッカーの　れんしゅうが　あるから、いつも　6時に　起こされる。

③ 女の　人に　道を　聞かれました。

→受身の形　24ページ

👉 With the speaker or somebody emotionally close to the speaker as subject, this passive verb form expresses the state of being subject to the actions or behavior of another person. When the subject is わたし, this is usually omitted.
話者または心理的に話者に近い人を主語にして、ほかの人の行為の影響を受けることを表す。主語が「わたし」のときは、ふつう省略する。

## 2 〜(ら)れます － 受身2 Passive 2

① (わたしは)電車の　中で　足を　ふまれました。

② 弟に　ケーキを　食べられて　しまいました。

③ うちの　前に　ごみを　すてられて、こまって　います。

④ きのう、どろぼうに　入られた。

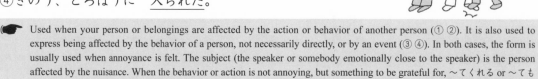

👉 Used when your person or belongings are affected by the action or behavior of another person (① ②). It is also used to express being affected by the behavior of a person, not necessarily directly, or by an event (③ ④). In both cases, the form is usually used when annoyance is felt. The subject (the speaker or somebody emotionally close to the speaker) is the person affected by the nuisance. When the behavior or action is not annoying, but something to be grateful for, 〜てくれる or 〜てもらう are used.
体の一部や持ち物が他の人の行為の影響を受けることを表す(①②)。また、(行為を直接受けるわけでないが)人の行為や出来事の影響を受けることを表す(③④)。どちらも主に迷惑だと感じた場合に使う。主語は迷惑を被った人で、話者または心理的に話者に近い人。迷惑なことではなく、ありがたいことの場合は「〜てくれる・〜てもらう」を使う。

## 3 〜(ら)れます － 受身3 Passive 3

① 来年、夏の　オリンピックが　開かれます。

② この　本は　世界中で　読まれて　いる。

③ この　えは　1800年に　かかれたそうです。

👉 A passive sentence with an object or event as the topic. This form is used only with facts, without reference to the emotions of the speaker.
物が主語になる受身文。話者の感情ではなく、事実だけを述べる言い方。

れんしゅう1　（　）の　中の　言葉を　正しい　形に　して、書いて　ください。

1　今週は　部長に　仕事を　たくさん ＿＿＿＿＿＿＿ました。（たのむ）

2　わたしは　よく　父に ＿＿＿＿＿＿＿ます。（しかる）

3　母に　まんがを　ぜんぶ ＿＿＿＿＿＿＿ました。（すてる）

4　友だちに　名前を ＿＿＿＿＿＿＿て、かなしかった。（まちがえる）

5　おふろに　入って　いる　とき、友だちに ＿＿＿＿＿＿＿て、こまりました。（来る）

6　さいごに　てんを ＿＿＿＿＿＿＿て、まけて　しまいました。（とる）

7　この　歌は　世界中の　人に ＿＿＿＿＿＿＿て　います。（知る）

れんしゅう2　いちばん　いい　ものを　えらんで　ください。

1　きのうの　夜は、（　　）なかれて、ねられませんでした。

　　a 子どもが　　　　　　　　b 子どもに　　　　　　　　c 子どもを

2　わたしは　（①　）新しい　（②　）こわされて　しまいました。

　　①a 弟が　　　　　　　　　b 弟に　　　　　　　　　　c 弟を

　　②a ゲームが　　　　　　　b ゲームに　　　　　　　　c ゲームを

3　わたしは　家族に　「みっちゃん」と　（　　）います。

　　a よんで　　　　　　　　　b よばれて　　　　　　　　c よべて

4　友だちに　手紙を　（　　）、出しました。

　　a 書いて　　　　　　　　　b 書けて　　　　　　　　　c 書かれて

5　店の　人に　おねがいして、みんなの　写真を　（　　）。

　　a とって　くれました　　　b とって　もらいました　　c とられました

6　映画館で、せが　高い　人に　前の　せきに　（　　）、こまりました。

　　a すわって　　　　　　　　b すわって　もらって　　　c すわられて

7　トム「いい　スカーフだね。」

　　サラ「ありがとう。友だちが　誕生日に　（　　）の。」

　　a 送って　くれた　　　　　　b 送られた　　　　　　　　c 送った

## 1　〜（さ）せます

①店長「今日、店員を　一人　やめさせたよ。ちこくが　多いのでね。」

②兄「弟に　へやの　そうじを　させました。」

③けんは　犬を　じゆうに　あそばせます。

④この　ノート、コピーさせて　くれませんか。

⑤うそを　ついて、父を　おこらせて　しまいました。

⑥妹を　なかせては　いけないよ。

→使役の形　26ページ

☞ Used to mean somebody to behave in a certain way (① ②), to give permission or a favor (③ ④) and to evoke an emotion (⑤ ⑥). The particle for expressing the agent of the action or behavior is を as a rule when the verb is intransitive (① ③ ⑤ ⑥), and に when the verb is transitive (②).
ほかの人にある行為を強制する（①②）、ある行為を容認する（③④）、ある感情を誘発する（⑤⑥）ことを表す。行為をする人を表す助詞は、原則的に自動詞の場合は「を」（①③⑤⑥）、他動詞の場合は「に」を使う（②）。

## 2　〜さ（せら）れます

①店員「今日、アルバイトを　やめさせられました。」

②弟「兄に　へやの　そうじを　させられました。」

③けんには　よく　びっくりさせられます。

④子どもが　おそくまで　帰って　こなくて、しんぱいさせられました。

→使役受身の形　28ページ

☞ Used to express the idea of reluctantly being forced to do something that has to be done (① ②) or when some person is the cause of an emotion (③ ④). The subject is the speaker or somebody emotionally close to the speaker. In cases where it is not a matter of compulsory, but hoped-for, behavior, 〜させてくれる or 〜させてもらう is used.
ある人に強制されてしかたなくある行為をする（①②）、ある人が原因でそういう感情が起きる（③④）ことを表す。主語は話者、または心理的に話者に近い人。強制された行為ではなく、望んだ行為の場合は「〜させてくれる・〜させてもらう」を使う。

れんしゅう1 （ ）の 中の 言葉を 正しい 形に して、書いて ください。

1 店長は 店員たちに あいさつの 言葉を ＿＿＿＿＿＿ます。（おぼえる）

2 ぼくは 犬に ボールを とりに ＿＿＿＿＿＿ました。（行く）

3 トムさんは おもしろい ことを 言って、サラさんを ＿＿＿＿＿＿ます。（わらう）

4 おいしそうですね。少し ＿＿＿＿＿＿て くれませんか。（食べる）

5 いい 仕事を 見つけて、両親を ＿＿＿＿＿＿たいです。（よろこぶ）

6 先週は レポートを 3つも ＿＿＿＿＿＿て、たいへんでした。（書く）

7 わたしは 社長に 日曜日も 会社へ ＿＿＿＿＿＿ました。（来る）

れんしゅう2 いちばん いい ものを えらんで ください。

1 子どもに たくさん やさいを （ ）ましょう。
　　a 食べられ　　　　　　 b 食べさせ　　　　　　 c 食べさせられ

2 駅の 人に 「ここで たばこを すわないで ください」と （ ）。
　　a 注意されました　　　 b 注意させました　　　 c 注意させられました

3 ぼくは 楽しく あそんで いたのに、お母さんに 手伝いを （ ）。
　　a されました　　　　　 b させました　　　　　 c させられました

4 校長先生は （ ） 意見を 言わせて くれませんでした。
　　a ぼくたちに　　　　　 b ぼくたちが　　　　　 c ぼくたちを

5 うちの お母さんは、いつも じゆうに まんがを （ ）ので、うれしいです。
　　a 読まれる　　　　　　 b 読ませられる　　　　 c 読ませて くれる

6 きのうは 一日中 社長に 重い かばんを （ ）、つかれた。
　　a 持たれて　　　　　　 b 持たせて　　　　　　 c 持たされて

7 この 仕事、わたしに （ ） くれませんか。
　　a やって　　　　　　　 b やらせて　　　　　　 c やらされて

8 小学校の とき、先生に 好きな えを （ ）、とても 楽しかったです。
　　a かかせて もらって　　 b かかされて　　　　　 c かいて

もんだい1 （　）に　何を　入れますか。1・2・3・4から　いちばん　いい　もの
　　　　　を　一つ　えらんで　ください。

1　来年、この　町で　サッカーの　大きい　試合が　開かれる　（　）　なりました。
　　1　のに　　　　　2　ことに　　　　　3　ときに　　　　　4　ように

2　A「この　パソコン、使わないなら、けしても　いいですか。」
　　B「あ、すぐ　使うので、（　）　ください。」
　　1　つけて　みて　　　　　　　　　　2　つけて　あって
　　3　つけて　しまって　　　　　　　　4　つけて　おいて

3　トム「この　ざっしに　書いて　ある　店、おいしそうだね。」
　　サラ「あ、ここ、よさそうだったから、先週　友だちと　（　）　んだ。」
　　1　行って　みた　　　　　　　　　　2　行って　くれた
　　3　行かれた　　　　　　　　　　　　4　行かせた

4　A「来月の　ひこうきの　チケットは　もう　とって　ありますか。」
　　B「いいえ、まだです。これから、（　）。」
　　1　よやくして　あります　　　　　　2　よやくして　くれます
　　3　よやくして　おきます　　　　　　4　よやくして　います

5　急に　だれかに　名前を　（　）　びっくりした。
　　1　よんで　　　　2　もらって　　　　3　よばせて　　　　4　よばれて

6　子どもの　ころ、兄は　よく　友だちを　（　）。
　　1　なきました　　2　なかせました　　3　なかれました　　4　なかされました

もんだい2 ＿＿★＿＿に　入る　ものは　どれですか。1・2・3・4から　いちばん
　　　　　いい　ものを　一つ　えらんで　ください。

1　サラ「トム、体の　ために　もっと　運動しないと。」
　　トム「じゃ、これから　バスを　＿＿＿＿　＿＿＿＿　＿★＿　＿＿＿＿　するよ。」
　　1　歩く　　　　　2　やめて　　　　3　駅まで　　　　4　ことに

2 わすれないように ＿＿＿ ＿＿＿ ★ ＿＿＿ しまいました。
　　1　メモを　　　2　書いて　　　3　なくして　　　4　おいた

3 つくえの 上に ＿＿＿ ＿＿＿ ★ ＿＿＿ かざって あります。
　　1　トムさんが　　2　写真が　　　3　くれた　　　4　とって

もんだい3 ⬜1 から ⬜4 に 何を 入れますか。文章の 意味を 考えて 1・2・3・4から いちばん いい ものを 一つ えらんで ください。

---

　　9月1日　今日は ちょっと たいへんでした。おくれないで アルバイトに 行く つもりでしたが、電車の 中に カメラを わすれて しまいました。それで、駅員に わすれ物を した ことを 話しました。駅員に 「どんな カメラですか。」と ⬜1 。わたしは 「赤い カメラです。黒い ケースに 入って いる ⬜2 です。」と 答えました。その 後、駅員は ほかの 駅に 電話を かけました。そして、ほかの 駅に カメラが ある ことが わかりました。親切な 人が カメラを ⬜3 のです。わたしは その 駅まで とりに 行かなければ なりませんが、アルバイトが あったので、あした とりに ⬜4 。アルバイトに おくれて 少し しかられましたが、カメラが 見つかって ほんとうに よかったです。

---

1 　1　聞きました　　2　聞かれました　　3　聞かせました　　4　聞かされました
2 　1　そう　　　　　2　よう　　　　　　3　らしい　　　　　4　はず
3 　1　ひろって くれた　　　　　　2　ひろって あげた
　　3　ひろって もらった　　　　　4　ひろわれた
4 　1　行くと 思います　　　　　　2　行くように なりました
　　3　行く ことに しました　　　4　行く ことに なりました

# 実力養成編 <ruby>じつりょくようせいへん<rt></rt></ruby>　第2部　文法形式の整理

じつりょくようせいへん
**実力養成編**　第2部　文法形式の整理

Skills Development　Part 2 : Ensuring correct use of grammar forms

## 1課 <ruby>課<rt>か</rt></ruby> で・に

### 1 「で」の<ruby>使<rt>つか</rt></ruby>い<ruby>方<rt>かた</rt></ruby>

A①ろうかで えを かきました。
②<ruby>近所<rt>きんじょ</rt></ruby>で <ruby>火事<rt>かじ</rt></ruby>が ありました。

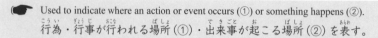 Used to indicate where an action or event occurs (①) or something happens (②).
<ruby>行為<rt>こうい</rt></ruby>・<ruby>行事<rt>ぎょうじ</rt></ruby>が<ruby>行<rt>おこな</rt></ruby>われる<ruby>場所<rt>ばしょ</rt></ruby>(①)・<ruby>出来事<rt>できごと</rt></ruby>が<ruby>起<rt>お</rt></ruby>こる<ruby>場所<rt>ばしょ</rt></ruby>(②)を<ruby>表<rt>あらわ</rt></ruby>す。

B①<ruby>毎日<rt>まいにち</rt></ruby> <ruby>自転車<rt>じてんしゃ</rt></ruby>で <ruby>会社<rt>かいしゃ</rt></ruby>に <ruby>行<rt>い</rt></ruby>きます。
②<ruby>紙<rt>かみ</rt></ruby>で にんぎょうを <ruby>作<rt>つく</rt></ruby>りました。

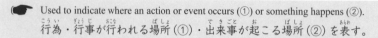 Expresses method or means (①) or material used (②). <ruby>手段<rt>しゅだん</rt></ruby>(①)・<ruby>材料<rt>ざいりょう</rt></ruby>(②)を<ruby>表<rt>あらわ</rt></ruby>す。

C①<ruby>日本<rt>にほん</rt></ruby>で いちばん <ruby>高<rt>たか</rt></ruby>い <ruby>山<rt>やま</rt></ruby>は <ruby>富士山<rt>ふじさん</rt></ruby>です。

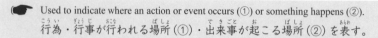 Expresses scope within which a comparative or other statement is made. <ruby>範囲<rt>はんい</rt></ruby>を<ruby>表<rt>あらわ</rt></ruby>す。

D①<ruby>父<rt>ちち</rt></ruby>は <ruby>今<rt>いま</rt></ruby> <ruby>仕事<rt>しごと</rt></ruby>で いそがしいです。
②かぜで <ruby>学校<rt>がっこう</rt></ruby>へ <ruby>行<rt>い</rt></ruby>けませんでした。

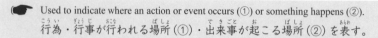 Expresses cause or reason. <ruby>原因<rt>げんいん</rt></ruby>・<ruby>理由<rt>りゆう</rt></ruby>を<ruby>表<rt>あらわ</rt></ruby>す。 →<ruby>第<rt></rt></ruby>1<ruby>部<rt>ぶ</rt></ruby>9<ruby>課<rt>か</rt></ruby>3

### 2 「に」の<ruby>使<rt>つか</rt></ruby>い<ruby>方<rt>かた</rt></ruby>

A①あそこに <ruby>池<rt>いけ</rt></ruby>が あるでしょう？ あの <ruby>池<rt>いけ</rt></ruby>に <ruby>魚<rt>さかな</rt></ruby>が たくさん いますよ。
②にわに いろいろな <ruby>花<rt>はな</rt></ruby>が さいて いますね。

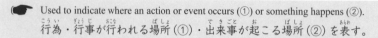 Expresses location of inanimate and animate objects (①) and place where something manifests itself (②).
<ruby>物<rt>もの</rt></ruby>や<ruby>生物<rt>せいぶつ</rt></ruby>が<ruby>存在<rt>そんざい</rt></ruby>する<ruby>場所<rt>ばしょ</rt></ruby>(①)・<ruby>状態<rt>じょうたい</rt></ruby>が<ruby>表<rt>あらわ</rt></ruby>れている<ruby>場所<rt>ばしょ</rt></ruby>(②)を<ruby>表<rt>あらわ</rt></ruby>す。

B①ろうかに えを かきました。
②<ruby>毎朝<rt>まいあさ</rt></ruby> バスに <ruby>乗<rt>の</rt></ruby>ります。

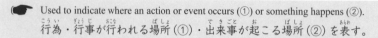 Indicates the location the subject moves the object (of the action) to (①), or indicates the location the subject moves to (②).
<ruby>動作<rt>どうさ</rt></ruby>の<ruby>対象<rt>たいしょう</rt></ruby>の<ruby>到着点<rt>とうちゃくてん</rt></ruby>(①)・<ruby>動作<rt>どうさ</rt></ruby>の<ruby>主体<rt>しゅたい</rt></ruby>の<ruby>到着点<rt>とうちゃくてん</rt></ruby>(②)を<ruby>表<rt>あらわ</rt></ruby>す。

C①あした この <ruby>本<rt>ほん</rt></ruby>を <ruby>山中<rt>やまなか</rt></ruby>さんに <ruby>返<rt>かえ</rt></ruby>します。
②その <ruby>写真<rt>しゃしん</rt></ruby>、ちょっと わたしに <ruby>見<rt>み</rt></ruby>せてよ。

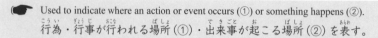 Refers to the receiving party, or person or object affected by an action. <ruby>動作<rt>どうさ</rt></ruby>が<ruby>及<rt>およ</rt></ruby>ぶ<ruby>対象<rt>たいしょう</rt></ruby>を<ruby>表<rt>あらわ</rt></ruby>す。

D①じゅぎょうは 9<ruby>時<rt>じ</rt></ruby>に <ruby>始<rt>はじ</rt></ruby>まります。

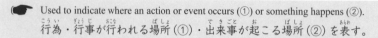 Expresses a time-point. <ruby>時点<rt>じてん</rt></ruby>を<ruby>表<rt>あらわ</rt></ruby>す。

れんしゅう1　（　）の　中に　「で」か　「に」を　書いて　ください。

1　子どもの　へや（　　）　大きい　まどを　作りました。へやが　明るく　なりました。

2　子どもの　へや（　　）　いっしょに　紙の　ひこうきを　作りました。

3　じこ（　　）　電車が　止まって　います。

4　東京駅（①　　）　地下鉄（②　　）　乗りかえます。

5　風（①　　）　外の　せんたく物が　とびそうです。中（②　　）　入れて　ください。

6　あした　ホール（①　　）　お茶の　会が　あります。3時（②　　）　ホール（③　　）
　　集まって　ください。

7　むこう（①　　）　高い　山が　見えるでしょう？　今日は　あの　山（②　　）　のぼります。

8　こちらの　へや（①　　）、この　いす（②　　）　すわって　少し　休んで　ください。

9　友だちの　家（①　　）　にもつを　送ったけど、そこ（②　　）は　もう　友だちは
　　住んで　いないようだった。

10　この　紙（①　　）　黒い　ペン（②　　）　名前を　書いて　ください。

れんしゅう2　aか　bか　いい　ほうを　えらんで　ください。

1　こうえんで　（a 池が　　b コンサートが）　あります。

2　ここに　（a にもつを　おいて　　b 料理を　作って）　ください。

3　台風で　（a はしが　こわれました　　b はしを　わたりました）。

4　図書館に　本を　（a かえします　　b さがします）。

5　この　ホテルに　（a いちばん　いい　へやは　どこですか　　b とても　いい
　　へやが　あります）。

6　駅の　前に　（a 花屋が　できました　　b 花を　買いました）。

7　いつも　（a 8時間に　　b 8時に）　ねます。

8　動物園に　いろいろな　（a 動物が　います　　b 動物を　見ましょう）。

9　この　みかんで　（a むしが　食べました　　b ジュースを　作りましょう）。

10　世界で　（a いろいろな　国が　あります　　b いちばん　広い　国は　どこですか）。

# 2課 を・と

## 1 「を」の使い方

A ① いい くつを 買いました。

☞ Refers to the object or target of an action or behavior. 動作の対象を表す。

B ① あの はしを わたります。
② 父は 毎日 こうえんを さんぽします。

☞ Expresses place where passage or movement occurs. 通過・移動する場所を表す。

C ① 京都駅で 電車を おりました。
② わたしは 10年前に 国を 出て、日本に 来ました。

☞ Expresses place left behind, or point of departure. 離れる場所・起点を表す。

D ① あの 建物は まるい 形を して いますね。
② はなちゃん、どうしたの? 赤い 顔を して いるね。

☞ The form 〜をしています expresses the shape or state of a person or thing.
「〜をしています」の形で、物や人の形状を表す。

## 2 「と」の使い方

A ① うちには 犬と ねこと 鳥が います。

☞ Used to link items in a list or sequence. 並べるものを表す。

B ① 夏休みに 母と 富士山に のぼります。
② 会社の 人たちと おさけを 飲みに 行きました。

☞ Used to refer to the partner when something is undertaken together with another person. 行為を一緒にする相手を表す。

C ① 弟は よく 友だちと けんかします。
② 母は 父と くらべて 明るいです。
③ わたしは サラさんと 同じ 年です。

☞ Refers to a counterpart or rival (①) or expresses a standard for comparison (② ③).
対する相手(①)・比べる基準(②③)を表す。

D ① 彼女は 「さようなら」と 言いました。

☞ Comes after proper nouns, as well as utterances and thoughts.
名前や発言・考えなどの内容を表す。

→第1部17課

れんしゅう1　（　）の　中に　「を」か　「と」を　書いて　ください。

1　サラ「あれ、マリさん、どうして　ここに　いるの?」
　　マリ「リサさん(①　　)　待って　いるの。彼女(②　　)　映画を　見に　行くの。」
2　9時に　家(　　)　出ました。
3　サラの　「や」の　書き方は　ぼくの　書き方(　　)　ちがうね。
4　先生「一人で　この　教室(①　　)　そうじしたの?」
　　学生「いえ、トムさんや　サラさん(②　　)　いっしょに　しました。」
5　空(　　)　とんで、南の　国へ　行きたい。
6　駅で　友だち(　　)　わかれて　家に　帰りました。
7　サラさんは　きれいな　目(　　)　して　います。
8　「tuna」は　日本語で　まぐろ(　　)　言います。
9　プレゼントを　くれた　人に　おれい(　　)　言います。

れんしゅう2　aか　bか　いい　ほうを　えらんで　ください。

1　2時に　東京駅を　(a おりました　　b 出発しました)。
2　きのうは　会社を　(a 休みました　　b 働きました)。
3　こちらの　山道を　(a 休む　所が　ありますよ　　b 歩きましょう)。
4　ろうかを　(a 走らないで　ください　　b あそばないで　ください)。
5　ぼくは　マリさんと　(a 電話を　かけます　　b けっこんします)。
6　会議室は、7かいで　エレベーターを　(a 乗って　　b おりて)、すぐ　目の　前ですよ。
7　駅で　サラさんと　(a 見て　　b 会って)、いっしょに　こうえんへ　行きます。
8　【タクシーの中】
　　運転手さん、つぎの　かどを　(a おります　　b まがって　ください)。
9　トムさんは　友だちを　(a むかえに　　b そうだんしに)　行きました。
10　この　漢字は　何と　(a 読みますか　　b 使いますか)。

# 3課 も・しか

## 1 「も」の使い方

**A**①あしたは わたしが 料理を 作ります。おかしも 作ります。

②わたしは 海も 山も 好きです。

> ☞ Expresses addition of something similar or related to something previously mentioned. 同様のものを加える。

**B**①うちから 会社まで ２時間も かかります。

②何度も 電話しましたよ。

> ☞ Emphasizes the high level or number of something, when used with a quantifier or なん + counter suffix.
> 数量詞や「何＋助数詞」と一緒に使い、多いことを強調する。

**C**①セーターを １まいも 持って いません。

②日本人の 友だちは まだ 一人も いません。

> ☞ In a negative statement using the pattern 1 + counter suffix, emphasizes the complete absence of something.
> 否定文の中で「１＋助数詞」と一緒に使い、ゼロであることを強調する。

**D**①だれも 来ませんでしたよ。

②きのうは どこへも 行きませんでした。

> ☞ Used together with interrogative (+particle), emphasizes the negative nature of a statement.
> 疑問詞（＋助詞）と一緒に使い、否定文であることを強調する。

**E**①この 子は もう 漢字も 読めます。

②この 言葉は いちばん 新しい じしょにも ない。

> ☞ By using an extreme example, suggests that something else is a matter of course.
> 極端な例を出して、それ以下（以上）は当然であることを暗示する。

## 2 「しか」の使い方

**A**①うちから 会社まで 20分しか かかりません。

②100てんの 人は ２人しか いませんでした。

> ☞ Used together with a quantifier in a negative statement, emphasizes the paucity or limited nature of something.
> 否定文の中で数量詞と一緒に使い、少なさを強調する。

**B**①この 村に 外国人は わたししか いません。

②この 話は まだ 母にしか 話して いません。

> ☞ Limits something in a negative statement (equivalent to *only* in English), affirming the limitation and excluding other possibilities.
> 否定文の中であるものだけを限定して肯定し、他を否定する。

れんしゅう1 （　）の 中に 「も」か 「しか」を 書いて ください。どちらも
必要では ない 場合は 「×」を 入れて ください。

Please put も or しか in the (　) as you think necessary. If you think neither
one applies, put an × in the (　).

1　この ことは だれに（　　） 言わないでね。

2　きのうは 大雨が ふりました。風（　　） 強かったです。

3　A「おさけを 1ぱい（　　） 飲みませんか。」

　　B「いいですね。飲みましょう。」

4　今日は 朝から 何人（　　） おきゃくさんが 来て、いそがしかったです。

5　この デザインの バッグが 買える 店は ここ（　　） ありません。

6　すみません。500円（　　） 貸して くれませんか。

7　こんな おいしい 物は どこに（　　） ありませんね。

8　ぼくは ネクタイを この 1本（　　） 持って いないんだよ。

9　安かったので、パンを いくつ（　　） 買いました。

10　いつか 一度（　　） ふねで 世界旅行を したいです。


れんしゅう2 aか bか いい ほうを えらんで ください。

1　へえ、1か月も （a 旅行したんですか　　b 旅行しなかったんですか）。

2　今、何も （a 食べたいです　　b 食べたくないです）。

3　試験の 日まで 時間が 少ししか （a あるから　　b ないから）、がんばろう。

4　5時間（a も 歩いたから　　b しか 歩かなかったから）、つかれました。

5　こまりましたね。いすが 12（a も ありますね　　b しか ありませんね）。

　　おきゃくさんは 15人 来ますよ。

6　A「わたしは 何年も この 町に 住んで います。」

　　B「そうですか。じゃ、町の ことを （a もう よく 知って いるでしょう

　　　　b まだ よく 知らないでしょう）?」

7　だれも わたしの 仕事を （a 手伝って くれました　　b 手伝って くれません
でした）。

# 4課 だけ・でも

## 1 「だけ」の使い方

A ①わたしの ほんとうの 友だちは サラだけだ。

②その みかんを 一つだけ わたしに ください。

③とうふは 日本にだけ ある 食べ物でしょうか。

④日本で 雨が 多い 月は 6月だけでは ない。9月にも よく 雨が ふる。

☞ Used to express a limitation. 限定する。

## 2 「でも」の使い方

A ①こんな かんたんな ことは 小学生でも わかります。

☞ Using an extreme example or proposing something that is not a matter of course, expresses the idea that something can arise regardless of adverse circumstances. *Even* is the English equivalent.
極端な例や当然ではない例を出し、その場合であっても成り立つことを示す。 →第1部16課

B ①1分でも 長く ねて いたいです。

②1円でも 安いほうが いい。

③わたしは 少しでも みんなの やくに 立ちたい。

☞ Usually expresses the idea of minimal concession when used in conjunction with the "1 + counter suffix" pattern. Roughly corresponds to English *even if it is only ⋯*.
主に「1＋助数詞」と一緒に使い、それでもいいという譲歩を表す。

C ①さあ、あまい 物でも 食べませんか。

②ここで ざっしでも 読んで 待って いて ください。

③日曜日には 花見にでも 行こうかな。

☞ Mildly suggests an option in the form of a proposal, request or expression of intent, etc.
提案・依頼・意志などの文で、軽く例をあげる。

D ①いつでも 好きな ときに 来て ください。

②この クラブには だれでも 入れます。

③今、コーヒーは 世界の どこにでも あります。

☞ Used together with an interrogative, expresses the idea of *any* (place, time, way, etc.).
疑問詞と一緒に使い、同類のすべてを含むことを表す。

れんしゅう1 （　）の 中<sup>なか</sup>に 「だけ」か 「でも」を 書<sup>か</sup>いて ください。

1 この ふくろには 紙<sup>かみ</sup>の ごみ（　）入<sup>い</sup>れてね。ほかの ごみは 入<sup>い</sup>れないでね。

2 この まんがが 好<sup>す</sup>きだと 答<sup>こた</sup>えた 人<sup>ひと</sup>は 子<sup>こ</sup>ども（　）では なかった。

3 うちの 子<sup>こ</sup>は だれと（　）すぐ 友<sup>とも</sup>だちに なります。

4 すみません。あと 5分<sup>ふん</sup>（　）待<sup>ま</sup>って ください。

5 二人<sup>ふたり</sup>（①　）で しずかに 音楽<sup>おんがく</sup>（②　）聞<sup>き</sup>きたいね。

6 すぐ 帰<sup>かえ</sup>って くるよ。ここで ゲーム（　）して いて。

7 しっかり あいさつしなさいね。3さいの 子<sup>こ</sup>ども（　）できるよ。

8 A「コーヒーに ミルクと さとうを 入<sup>い</sup>れますか。」

　 B「あ、ミルク（　）入<sup>い</sup>れて ください。」

9 わたしは ピアノ（　）は ずっと つづけたいなあ。

10 A「ちょっと パンを 買<sup>か</sup>って きて。」

　　B「パン（①　）で いいの？ くだもの（②　）買<sup>か</sup>って こようか。」

　　A「そうね。おねがい。」


れんしゅう2 aか bか いい ほうを えらんで ください。

1 ジョンさんは （a 何<sup>なに</sup>も　　b 何<sup>なん</sup>でも）できて、すごいですね。

2 この 町<sup>まち</sup>に 映画館<sup>えいがかん</sup>は （a 一<sup>ひと</sup>つでも　　b 一<sup>ひと</sup>つも）ありません。

3 つかれましたね。コーヒーでも （a 飲<sup>の</sup>みました　　b 飲<sup>の</sup>みましょう）。

4 みんな 帰<sup>かえ</sup>った。わたしだけ 教室<sup>きょうしつ</sup>に （a のこって いる　　b のこって いない）。

5 わたしは きらいな 食<sup>た</sup>べ物<sup>もの</sup>は あまり ありませんが、なっとうだけは

　 （a 食<sup>た</sup>べられます　　b 食<sup>た</sup>べられません）。

6 この 国<sup>くに</sup>は 冬<sup>ふゆ</sup>でも （a ゆきが ふります　　b ゆきは ふりません）。

7 あの 店<sup>みせ</sup>は 夜<sup>よる</sup>の 12時<sup>じ</sup>でも （a 開<sup>ひら</sup>いて いますよ　　b 開<sup>ひら</sup>いて いませんよ）。

8 一人<sup>ひとり</sup>でも 多<sup>おお</sup>く わたしの 店<sup>みせ</sup>に 買<sup>か</sup>いに 来<sup>き</sup>て （a もらいたいです

　 b もらいたくないです）。

# 5課 は・が

## 1 「は」の使い方

A①ちきゅうは まるいです。
②鳥は 空を とびます。魚は 水の 中を およぎます。

☞ Used with a topic of a sentence which expresses an unvarying fact. 不変的な事実を言う文の話題を示す。

B①昼ご飯は おべんとうを 買って 食べます。
②中川さんとは 来週 会います。

☞ Used here to set apart a topic from other possible options. 他と区別するために取り立てた話題を示す。

C①その DVDは もう 見ましたが、こちらは まだです。
②夏は 大好きですが、冬は 好きでは ありません。

☞ Used here to contrast or compare a topic with something. 対比するために取り立てた話題を示す。

D①あしたの パーティーに 15人は 来るでしょう。
②ここから 山の 上まで 5時間は かかりますよ。

☞ Used to indicate a minimum of some kind. 最低限度を示す。

## 2 「が」の使い方

A①あ、めずらしい 鳥が とんで いますよ。
②何曜日が いちばん いそがしいですか。
③その 仕事、わたしが やります。

☞ Used to indicate the principal agent in an action, behavior or event (sometimes with an interrogative). が is commonly used when you are commenting on the situation at hand (①) or you wish to rule out other options (②③).
動作・出来事の主体(疑問詞の場合もある)を示す。目の前のことを言うとき(①)や、他のものでないと言いたいとき(②③)によく使われる。

B①サラさんは かみが きれいですね。
②ジョンさんは トラックの 運転が できます。
③ああ、足が いたい!
④わたしは じしんが こわいです。

☞ In a statement using the ～は～が… pattern, が expresses the topic part (①) or something you have mastered (ability), perceived (sensory perception) or felt (emotion) (②③④).
「～は～が…。」の形の文で、話題(～)の一部分(①)や、能力・感覚・感情の対象(②③④)を示す。

れんしゅう1  （　　）の　中に　「は」か　「が」を　書いて　ください。

1  どの　問題（　　）　むずかしいですか。

2  1時間（　　）　60分です。

3  A「見て　ください。さくら（①　　）　たくさん　さいて　いますよ。」
　　B「ええ、さくら（②　　）　ほんとうに　きれいな　花ですね。」

4  ああ、つめたい　ビール（　　）　飲みたい。

5  A「どれ（①　　）　あなたの　かさですか。」
　　B「これです。これ（②　　）　もう　10年も　使って　います。」

6  リサ　「あれ、ジョンさん、どうしたんですか。目（①　　）　赤いですよ。」
　　ジョン「ごみ（②　　）　入ったようです。」


れんしゅう2  aか　bか　いい　ほうを　えらんで　ください。

1  トム「これ、はなちゃんの　えです。上手ですね。」
　　田中「え！　はなちゃんが　（a かいたんですか　　b 何さいですか）。」

2  A「きれいな　海ですね。」
　　B「ええ、海は　（a 広いですね　　b 見えますね）。」

3  A「すもうを　見た　ことが　ありますか。」
　　B「すもうですか。テレビでは　見た　ことが　ありますが、目の　前では
　　　　（a 見た　ことも　あります　　b 見た　ことが　ありません）。」

4  森田「サラさん、日本語が　上手ですね。」
　　サラ「いえ、まだまだですよ。漢字が　よく　（a れんしゅうして　いるんです
　　　　b おぼえられないんです）。」

5  A「この　スプーン、おみやげです。どれでも　好きなのを　どうぞ。」
　　B「へえ、この　スプーンは　（a ほしいです　　b どこの　国のですか）。」

6  トム「駅前に　パン屋が　できたね。」
　　サラ「そう。わたしは　日本の　パンが　（a とても　好き　　b あまり　食べない）。」

もんだい1 　（　　）に 何を 入れますか。1・2・3・4から いちばん いい もの
　　　　　 を 一つ えらんで ください。

1　ざんねんです。一つ（　　）答えを まちがえました。99てんです。
　　1　も 　　　　　 2　しか 　　　　　 3　でも 　　　　　 4　だけ

2　A「運転手さん、みんなが まだ 集まりません。出発の 時間、だいじょうぶですか。」
　　B「えーと、8時（　　）待てますが……。8時を すぎると、こまりますねえ。」
　　1　までは 　　　 2　までに 　　　 3　まででは 　　　 4　までには

3　こうえんの そば（　　）駅へ 行きましょう。その ほうが 早いです。
　　1　を 出て 　　 2　を 通って 　　 3　に 着いて 　　 4　で 歩いて

4　けん「お母さん、おなかが すいたよ。」
　　母　「わかった。じゃ、サンドイッチ（　　）。」
　　1　でも 作ろうか 　　　　　　　　　　 2　でも 作ったよ
　　3　にも 作ろうか 　　　　　　　　　　 4　にも 作ったよ

5　A「この 本、おもしろいですよ。読んで みませんか。」
　　B「あ、その 本なら もう（　　）読みました。」
　　1　何度 　　　　 2　何度も 　　　　 3　一度も 　　　 4　一度で

6　A「ここは たばこが すえる 場所ですか。」
　　B「ええ、たばこは（　　）すえないんです。ほかの 所では だめです。」
　　1　ここでも 　　 2　ここでは 　　 3　ここでしか 　　 4　ここだけで

もんだい2 　＿＿★＿＿に 入る ものは どれですか。1・2・3・4から いちばん
　　　　　 いい ものを 一つ えらんで ください。

1　この 村 ＿＿＿＿ ＿＿＿＿ ＿★＿ ＿＿＿＿ 生きて いる 人が います。
　　1　日本 　　　　　 2　いちばん 長く 　　 3　に 　　　　 4　で

2 さあ、あちらの ＿＿＿ ＿＿＿ ★ ＿＿＿ 用意しましたから、どうぞ。

　1　テーブル　　　2　お茶　　　　　3　に　　　　　　　　4　を

3 A「今年の 秋には おいしい 米が たくさん できそうですね。」
　B「はい。少し ＿＿＿ ＿＿＿ ★ ＿＿＿ と 思います。」

　1　いい　　　　　2　多く　　　　　3　いいのが できると　　4　でも

もんだい3 　1　から　4　に 何を 入れますか。文章の 意味を 考えて 1・2・3・4から いちばん いい ものを 一つ えらんで ください。

---

富士山

トム・ブラウン

　先週、学校の 旅行で 富士山に 行きました。 今まで 写真や テレビでは 見た ことが ありますが、はじめて ほんとうの 富士山が 見られて、うれしかったです。

　むかし、富士山は こわい 山だと 思われて いたようです。山が おこると、　1　 出ます。ですから、むかしの 人は 山が おこらないように、　2　 富士山に むかって 手を 合わせて、頭を 下げたのだそうです。

　わたしたちは 富士山の いちばん 上まで のぼろうと 思いました。でも、急に 天気が 悪く なって、半分までしか 行けませんでした。富士山の 　3　 見える 朝日は すばらしいそうです。国へ 帰る 前に 　4　。

---

1 1　山まで 火は　　2　山から 火が　　3　山に 火でも　　4　山でも 火も
2 1　遠くまでで　　　2　遠くからでは　3　遠くまででも　4　遠くからでも
3 1　上でも　　　　　2　上だけ　　　　3　上から　　　　4　上まで
4 1　一度 見たいです　　　　　　2　一度も 見ません
　3　一度しか 見ません　　　　　4　一度だけ 見ました

# 6課 の・こと

## 1 「の」の使い方

### A ～のです・～んです

① 国へ 帰る ことに しました。国で いい 仕事が 見つかった<u>のです</u>。

② きのう、どうして 休んだ<u>んです</u>か。

③ A「あ、かみを 切った<u>の</u>?」

　　B「うん、暑いから 短くした<u>んだ</u>。」

☞ Used when explaining a situation (①, ③ B), requesting an explanation (②) and affirming something (③ A). The formal expression is ～のです.
事態の説明をするとき (①、③B)、説明を求めるとき (②)、確認をするとき (③A) に使う。「～のです」は正式な硬い言い方。

### B ～のは…です

① わたしが 日本に 来た<u>のは</u> 去年<u>です</u>。

② さがして いる<u>のは</u> 今日の 新聞<u>では</u> なくて、きのうの 新聞<u>です</u>。

③ テストの てんが 悪かった<u>のは</u> あまり 勉強しなかった<u>からだ</u>。→第1部9課

☞ Clarifies or more narrowly specifies a piece of information about former part of のは with latter part of です.
～についての情報を…ではっきり示す。

### C ～のが見える・～のが聞こえる　　～のを見る・～のを聞く

① 町で トムが 歩いて いる<u>のを</u> 見ました。

② となりの へやの ふうふが 話して いる<u>のが</u> 聞こえます。

☞ Expresses something learnt through sensory perception.　感覚でとらえたことを表す。

## 2 「こと」の使い方

### A ～のこと

① あの 学校<u>の　こと</u>を 何か 知って いますか。

② 自分<u>の　こと</u>は あまり 話したくない。

☞ Specifies or pinpoints a focus of attention ～.　～についての内容を表す。

### B ～(名詞 Noun) は…ことです

① しゅみは 映画を 見る <u>こと</u>と、食べる <u>こと</u>です。

② ぼくの 仕事は 犬を さんぽに つれて いく <u>こと</u>です。

☞ Gives more specific information (…こと) about the topic (～は) of the sentence.　～の内容を…で具体的に表す。

れんしゅう1 （　）の 中に 「の」か 「こと」を 書いて ください。

1 朝 家を 出る（　　）は 7時半ごろです。

2 火事の げんいんは 火を けさなかった （　　）です。

3 この 町の （　　）を しらべて います。

4 A「うれしそうですね。どうした（①　　）ですか。」

　 B「プレゼントを もらった（②　　）です。」

5 旅行の いちばんの 思い出は 着物を 着た （　　）です。

6 子どもたちが 外で あそんで いる（　　）が 見えます。

7 なくした（　　）は 青い かさでは なくて、黒い かさです。

8 その おかし、だれに もらった（　　）?

れんしゅう2 いちばん いい ものを えらんで ください。

1 トムの いい ところは （　　）。
　 a うそを 言わないのです　　　　　b うそを 言わない ことです
　 c うそを 言いません

2 リーさんに （　　）は 先週の 金曜日です。
　 a 会ったの　　　　　b 会った こと　　　　　c 会った とき

3 来週の （　　）を くわしく 教えて ください。
　 a 試験　　　　　b 試験の こと　　　　　c 試験の

4 さっき （　　） 自分で つった 魚です。
　 a 食べたのは　　　　　b 食べ物は　　　　　c 食べた ことは

5 何か （　　）は ありませんか。ペンでも えんぴつでも いいです。
　 a 書くの　　　　　b 書く こと　　　　　c 書く 物

6 わたしは しょうらい 外国で 仕事を （　　）。
　 a する ことです　　　b したい ことです　　c したいのです

7 上手に できなかったのは わたしの 注意を （　　）。
　 a 聞かなかったからですよ　　　　　b 聞きませんでしたね
　 c 聞いて ください

## 7課 〜て…・〜ないで…

### 「〜て…／〜ないで…」の使い方

A①わたしは 朝 6時に 起きて、まず シャワーを あびます。

②タクシーが 止まって、ドアが 開いた。

③さあ、へやを かたづけて、食事を しよう。

☞ Continuing from ~, … action or event follows. If the subject of ~ and … is different, … cannot be used with a phrase expressing intention or inducement.
〜に引き続いて…を行う・…が起こる。〜と…の主語が違う場合、…には話者の意向や相手への働きかけを表す文は来ない。

B①漢字を 紙に 何度も 書いて おぼえます。

②ここまで 歩いて 来ました。

③ナイフを 使わないで パンを 切ったのですか。

☞ Do … using the ~ method. 〜の方法で…をする。

C①この 旅館の 人たちは みんな 着物を 着て 働いて いますね。

②わたしは コーヒーに さとうを 入れて 飲みますが、妹は 入れないで 飲みます。

③トム「これは 何か かけて 食べるんですか。」
山田「いえ、何も かけないで 食べて ください。」

④今日は けいたい電話を 持たないで 出かけました。

☞ Do … in a state of ~. 〜の状態で…をする。

D①さあ、みなさん、今日は たくさん 食べて、飲んで、話して ください。

②じゅぎょうは 9時に 始まって、3時に 終わります。

③兄は そうじを して、ぼくは さらを あらった。

④きのうの 会には 男の 人たちは 来ないで、女の 人たちだけ 来た。

☞ Expresses the idea that two things are done or happen in parallel or in contrast.
〜と並列的・対比的に…を行う・…が起こる。

E①電車が 止まって、仕事に おくれました。

②旅行に 行けなくて、ざんねんです。

☞ Expresses the idea that something (~) causes something else to happen or be felt (…). The negative form is usually not ない で but なくて(②).
〜が原因で…になる。否定の形は「ないで」ではなく、ふつう「なくて」を使う(②)。　　→第1部9課3

れんしゅう1 （　）の 中の 言葉を 正しい 形に して、書いて ください。

1　はじめて おおぜいの 人の 前に ＿＿＿＿＿ スピーチを しました。（立つ）

2　あまり よく ＿＿＿＿＿ 答えて しまいました。（考える）

3　お金を ＿＿＿＿＿、ボタンを おして ください。（入れる）

4　うちでは 母は あまり 料理を ＿＿＿＿＿、父が よく します。（する）

5　くつを ＿＿＿＿＿ 家の 外へ 出ては いけませんよ。（はく）

6　まどを ＿＿＿＿＿ すずしい 風を 入れましょう。（開ける）

7　やさいを こまかく ＿＿＿＿＿、この さらに 入れて ください。（切る）

8　サラさんが ＿＿＿＿＿、トムさんが ギターを ひきました。（歌う）

れんしゅう2 a か b か いい ほうを えらんで ください。

1　病院へ 行って、(a 薬を もらいます　b 頭が いたいです)。

2　雨なのに、かさを (a ささないで　b ささなくて) 歩いて います。

3　ピーと 音が (a して　b した)、きかいが 止まりました。

4　お金が (a 足りないで　b 足りなくて)、本が 買えませんでした。

5　パソコンを (a 使って　b 使わなくて) レポートを 書きます。

6　電話で (a 話して　b 話しながら) 食べないで ください。

7　自転車に (a 乗って　b 乗りながら) こうえんへ 行きます。

8　きっさ店に (a 入って　b 入った 後で)、まどの 近くに すわりました。

9　この ケーキを 食べて、(a コーヒーを 飲みます　b おいしいですよ)。

10　A「あ、山田さんが 来ましたよ。」

　　B「ああ、よかった。さあ、山田さんが (a 来て　b 来たから)、パーティーを
　　　始めましょう。」

11　トム「この 料理、(①a 自分で 考えて　b スーパーで 買って) 作ったの?」

　　サラ「ううん。この 本を (②a 見て　b 見るから) 作ったよ。」

12　今 子どもたちは 起きて いて、両親は (a ねて いない　b ねて いる)。

# 8課 他動詞・自動詞　Transitive and intransitive verbs

| | |
|---|---|
| 動作主 が／は＋〜（目的語）を＋他動詞<br>(Agent)　　　　(Object)　　(Transitive verb) | 〜 が／は＋自動詞<br>(Intransitive verb) |
| ＊Focus is on the action or behavior of an agent.<br>動作主 の行為に注目する。 | ＊Focus is on the action or behavior.<br>〜 の動きに注目する。 |
| 例　わたしは　火を　けしました。 | 例　火が　きえました。 |

| | | | |
|---|---|---|---|
| 電気をつける | かぎをしめる | 電気がつく | かぎがしまる |
| ごみをおとす | いすをならべる | ごみがおちる | いすがならぶ |
| 仕事を見つける | 話をつづける | 仕事が見つかる | 話がつづく |
| ねだんを上げる | ねだんを下げる | ねだんが上がる | ねだんが下がる |
| えだをおる | 家をこわす | えだがおれる | 家がこわれる |
| 子どもを起こす | パンをやく | 子どもが起きる | パンがやける |
| 車を止める | じゅぎょうを始める | 車が止まる | じゅぎょうが始まる |
| ねこを家に入れる | きっぷをなくす | ねこが家に入る | きっぷがなくなる |
| 自転車をなおす | 病気をなおす | 自転車がなおる | 病気がなおる |
| 名前をかえる | へやをあたたかくする | 名前がかわる | へやがあたたかくなる |

①暑いので、まどを　開けます。

②へやに　いた　虫を　外に　出しました。

③トムは　古い　おもちゃを　集めて

います。

①車の　ドアが　急に　開きました。

②学生は　後ろの　ドアから　出ます。

③みんなが　集まって、旅行の

そうだんを　します。

れんしゅう1　aか bか いい ほうを えらんで ください。

1　テーブルの 上に さらを （a ならびましょう　b ならべましょう）。

2　時計が （a 止まって　b 止めて） いて、時間が わかりません。

3　この 町は 10年前と だいぶ （a かえた　b かわった）。

4　とても 暑い 日が 1週間以上 （a つづいて　b つづけて） います。

5　質問が ある 人は 手を （a あげて　b あがって） ください。

6　たくさん 買い物したので、お金が （a なくしました　b なくなりました）。

7　来週から 新しい ドラマが （a 始める　b 始まる）。

8　よく 休んで、早く かぜを （a なおして　b なおって） ください。

9　この 木は 台風で （a おって　b おれて） しまいました。

10　大学に （a 入れたい　b 入りたい） 人は、入学試験を うけます。

れんしゅう2　いちばん いい ものを えらんで、正しい 形に して、書いて ください。

| しめる　　しまる　　きえる　　けす　　出す　　出る |
| --- |

1　さいふの 口を よく ①＿＿＿＿＿ないと、お金が ②＿＿＿＿＿て しまいます。

2　電気を ①＿＿＿＿＿ないで 家を ②＿＿＿＿＿て しまいました。

| おとす　　おちる　　こわれる　　こわす　　なおす　　なおる |
| --- |

3　じしんで たなの 上から 物が ①＿＿＿＿＿て、②＿＿＿＿＿ました。

4　子どもが この おもちゃを ①＿＿＿＿＿て しまいました。②＿＿＿＿＿て くれませんか。

| つづける　　つづく　　始まる　　始める　　起きる　　起こす |
| --- |

5　サッカーの れんしゅうが 朝 7時に ①＿＿＿＿＿から、けんは 早く ②＿＿＿＿＿て、運動場へ 行きます。

6　去年 ジョギングを ①＿＿＿＿＿て、今も ②＿＿＿＿＿て います。

# 9課 〜ています・〜てあります

## 1 「〜ています」の使い方

A①今、雨が ふって います。

②じしんの とき、おふろに 入って いました。

③毎年 外国旅行を して います。

> ☞ Indicates that an action or behavior happens on an ongoing basis. Used not only for temporary events (① ②), but also for things that occur repeatedly over a long period (③).
>
> 動作が継続して進行していることを表す。一時的なこと (①②) だけでなく、長い期間繰り返していること (③) にも使う。

B①まどが しまって います。

②ジョンさんは めがねを かけて います。

③姉は けっこんして いて、子どもが 二人 います。

④父は 今 出かけて います。

⑤わたしは けん君は 知って いますが、妹さんは 知りません。

> ☞ Expresses the fact that the results of a situation, action or change are still being left.
>
> ある出来事・動き・変化の結果が残っている状態を表す。

C①まだ 昼ご飯を 食べて いません。

②仕事が 終わって いないので、帰れません。

③はなちゃんは まだ 小学校に 入って いません。

> ☞ Used in negative statements to indicate that something that should have been realized remains in an incomplete state, or that should have happened has not.
>
> 否定の文で使い、実現するべきことが未完了の状態であることを表す。

## 2 「〜てあります」の使い方

①あ、花が きれいに かざって ありますね。

②もう ホテルを よやくして あります。

③へやは そうじして ありますか。

④テストに 名前が 書いて ありませんでした。

> ☞ Expresses the state of achievement of some action with a specific purpose. It is added to transitive verbs.
>
> ある目的を持って何かをした結果の状態を表す。他動詞につく。

れんしゅう1 （　）の 中の 言葉を 正しい 形に して、書いて ください。

1 けんは 今、本を ＿＿＿＿＿＿ います。（読む）

2 兄は 中国へ ＿＿＿＿＿＿ います。（行く）

3 父は 高校で 英語を ＿＿＿＿＿＿ います。（教える）

4 まだ かぜの 薬を ＿＿＿＿＿＿ いません。（飲む）

5 友だちが 来るので、ケーキが ＿＿＿＿＿＿ あります。（買う）

6 カメラは かばんの 中に ＿＿＿＿＿＿ あります。（入れる）


れんしゅう2 いちばん いい ものを えらんで ください。

1 あれ、電気が （　）。だれか いるのでしょうか。

　　a つきますよ　　　　b つけて いますよ　　　c ついて いますよ

2 今日は 空に たくさん ほしが （　）。

　　a 出て いるね　　　b 出して あるね　　　c 出して いるね

3 今日は けいたい電話を （　）ので、ジョンさんの 電話番号が わかりません。

　　a 持たない　　　　　b 持って いない　　　c 持たなかった

4 さあ、もう すぐ パーティーが （　）。へやに 入りましょう。

　　a 始まりますよ　　　b 始まって いますよ　　c 始めて ありますよ

5 ジョンさんは もう 帰りましたか。あれ、かさを （　）。

　　a わすれますね　　　b わすれて いますね　　c わすれて ありますね

6 コップは ぜんぶ （　）ので、もう きれいです。

　　a あらう　　　　　　b あらって いる　　　c あらって ある

7 もう 10時なのに、トムさんは まだ （　）。

　　a 来て いません　　b 来て しまいません　　c 来ませんでした

8 A「この 花の 名前、知って いる？」

　　B「ううん、（　）。」

　　a 知らない　　　　　b 知って いない　　　c 知らなかった

# 10課 　～てきます・～ていきます

A ①毎朝、うちの　にわに　鳥が　とんで　きます。
②兄が　へやに　入って　きました。
③鳥が　南の　ほうへ　とんで　いきました。
④兄が　へやを　出て　いきました。

☞ ～てきます indicates the movement of things or people toward the speaker (① ②). ～ていきます indicates movement by things or people away from the speaker (③ ④). They are added to verbs expressing motion.
「～てきます」は、物や人が話者に近づく移動を表す（①②）。「～ていきます」は、物や人が話者から離れる移動を表す（③④）。移動を表す動詞につく。

B ①この　ごみを　すてて　きて　ください。
②銀行で　お金を　はらって　きました。
③会社に　コーヒーを　買って　いきます。
④とちゅうで　ゆうびんきょくに　よって　いきます。

☞ ～てきます expresses the idea of return to a place after an action is carried out at a different place (① ②). ～ていきます expresses the idea of going to a different place after carrying out an action (③ ④).
「～てきます」は、他の場所である行為をした後、今いる場所に戻ることを表す（①②）。「～ていきます」は、ある行為の後、今いる場所と違う場所に行くことを表す（③④）。

C ①さいきん　動物病院が　ふえて　きました。
②子どもの　ころから　ピアノを　習って　きました。
③この　町は　だんだん　かわって　いくでしょう。
④これからも　日本語を　勉強して　いきたいです

☞ ～てきます expresses the idea that something has continued to change up to the present (①), or that a state has continued without change (②). ～ていきます expresses the idea that a state of change will continue (③), or that the same circumstances will continue to prevail (④).
「～てきます」は、今まで変化が続いたこと（①）・同じ状態が続いたこと（②）を表す。「～ていきます」は、これから変化が続くこと（③）・同じ状態が続くこと（④）を表す。

D ①おなかが　いたく　なって　きました。
②あ、雨が　ふって　きたよ。

☞ Indicates the beginning of a change. When used with this meaning, there is no corresponding ～ていく form.
変化の始まりを表す。この意味の場合、対応する「～ていく」の形はない。

れんしゅう1 （　　）の　中の　言葉を　正しい　形に　して、書いて　ください。

1　ねこが ＿＿＿＿＿＿＿＿　いきました。（にげる）
2　ちょっと　手を ＿＿＿＿＿＿＿＿　きます。（あらう）
3　このごろ　昼の　時間が　長く ＿＿＿＿＿＿＿＿　きました。（なる）
4　母に　お金を　送る　ために、毎日　まじめに ＿＿＿＿＿＿＿＿　きました。（働く）
5　この　手紙を　ポストに ＿＿＿＿＿＿＿＿　いってね。（入れる）
6　前の　駅で　人が　たくさん ＿＿＿＿＿＿＿＿　いった。（おりる）

れんしゅう2 いちばん　いい　ものを　えらんで　ください。

1　外で　音が　したね。ちょっと　（　　）。
　　a　見に　来るよ　　　　　b　見て　いくよ　　　　c　見て　くるよ
2　ここから　学校まで　毎朝　（　　）。
　　a　走って　きます　　　　b　走って　いきます　　c　走ってから　きます
3　さいきん、仕事が　だんだん　たいへんに　（　　）。
　　a　なって　きます　　　　b　なって　きました　　c　なって　いきました
4　3年前から　ずっと　この　店で　仕事を　（　　）。
　　a　して　きます　　　　　b　して　きました　　　c　して　いきました
5　この　ドラマは　これから　おもしろく　なって　（　　）。
　　a　きたでしょう　　　　　b　いったでしょう　　　c　いくでしょう
6　長い　時間　パソコンを　使って　いたので、目が　（　　）。
　　a　つかれて　きました　　b　つかれて　いきます　　c　つかれます
7　となりの　家に　にぎやかな　家族が　（　　）。
　　a　ひっこして　きました　b　ひっこして　いきました　c　ひっこしました
8　日曜日に　友だちが　うちに　（　　）。
　　a　あそんで　きた　　　　b　あそんで　いった　　　c　あそびに　来た

もんだい１　（　　）に　何を　入れますか。１・２・３・４から　いちばん　いい　もの
を　一つ　えらんで　ください。

1　A「今、何が　いちばん　したいですか。」
　　B「わたしが　したいのは、ゆっくり　おふろに　（　　）。」
　　1　入ります　　　　　2　入りたいです　　　3　入るのです　　　4　入る　ことです

2　きのう　友だちに　（　　）、食事を　しました。
　　1　会って　　　　　　2　会いながら　　　3　会ったまま　　　4　会うと

3　わたしが　病気の　とき、ジョンさんが　くすりを　（　　）。
　　1　買って　きて　くれました　　　　　　2　買って　いって　くれました
　　3　買って　きて　もらいました　　　　　4　買って　いって　もらいました

4　サラ「どうしたの？　その　さいふ。」
　　トム「電車の　中に　（　　）んだ。駅の　人に　知らせよう。」
　　1　おちた　　　　　　2　おちて　きた　　　3　おちて　いた　　　4　おちて　いった

5　トム「かぜは　どう？　ねつは　まだ　ある？」
　　サラ「ねつは　もう　（　　）よ。のどは　まだ　いたいけど。」
　　1　下げて　いる　　　　　　　　　　　2　下げて　ある
　　3　下がって　いる　　　　　　　　　　4　下がって　ある

6　今日、あなたと　話が　できて、（　　）。
　　1　上手です　　　　　　　　　　　　　2　よかったです
　　3　うちへ　帰りました　　　　　　　　4　いいですか

もんだい２　　★　に　入る　ものは　どれですか。１・２・３・４から　いちばん
　　　　　　いい　ものを　一つ　えらんで　ください。

1　ほら、＿＿＿　＿＿＿　＿★＿　＿＿＿　が　見えますよ。
　　1　の　　　　　　　　2　走って　いる　　3　電車が　　　　4　まどから

2 トムさんが ＿＿＿ ＿＿＿ ★ ＿＿＿ 前です。

1　のは　　　　　2　30分ぐらい　　　3　ここに　　　　4　来た

3 A「あれ、サラさんは？」

　B「さっき　水を ＿＿＿ ＿＿＿ ★ ＿＿＿ いきましたよ。」

1　出て　　　　　2　行く　　　　　　3　飲みに　　　　4　と　言って

もんだい3　１ から ４ に　何を　入れますか。文章の　意味を　考えて　1・2・
　　　　　　　3・4から　いちばん　いい　ものを　一つ　えらんで　ください。

---

田中さんへ

　いっしょに　あしたの　山本さんの　さよならパーティーの　じゅんびを　しようと
言ったんですが、おなかが　いたく　なって　きたので、田中さんが　来るまで
　１ 　帰ります。

　料理は　店に　たのんで　ありますが、お金は　まだ　 ２ 　。あした、料理を
持って　きた　ときに、はらいます。コップは　出して　ありますが、フォークや
ナイフを　 ３ 　わすれたので、テーブルの　上に　ならべて　おいて　ください。
それから、あした、山本さんに　あげる　カードを　 ４ 　ください。パーティーの
前に　みんなで　書きましょう。

　じゃ、すみませんが、よろしく　おねがいします。

　　　　　　　　　　　　　　　　　　　　　　　　　　　　　　　　　　　トム

---

1 　1　待って　　　　　2　待ちながら　　　3　待たなくて　　　4　待たないで

2 　1　はらいました　　　　　　　　　　　2　はらって　いました

　　3　はらって　いません　　　　　　　　4　はらった　ことが　ありません

3 　1　用意するのが　　　　　　　　　　　2　用意するのを

　　3　用意するので　　　　　　　　　　　4　用意するのに

4 　1　買って　きて　　　　　　　　　　　2　買って　いって

　　3　買って　いて　　　　　　　　　　　4　買いに　来て

# 11課 こ・そ・あ

## 1 「こ(これ・この・ここ・こう)」の使い方

①これは だれの かばんですか。

②A「この 小さい カメラは 日本のですね。」

　B「ええ。でも、これは ちょっと 高いですね。」

③ここが いたいんです。

④すしは こう して 作ります。

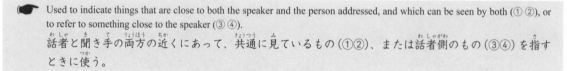

☞ Used to indicate things that are close to both the speaker and the person addressed, and which can be seen by both (① ②), or to refer to something close to the speaker (③ ④).
話者と聞き手の両方の近くにあって、共通に見ているもの(①②)、または話者側のもの(③④) を指すときに使う。

## 2 「そ(それ・その・そこ・そう)」の使い方

①サラさん、その ゆびわ、きれいですね。

②トイレは そこです。

③きのう 高校の 友だちと 会いました。その 人も 来週の パーティーに 来ます。

④「鳥よし」ですか。その 店は どこに ありますか。

☞ Used when indicating things which are closer to the listener than to the speaker (①), or are located a little way away from the speaker and listener (②), or to things that are known to only one of either the speaker or the listener (③ ④).
話者よりも聞き手に近いもの(①)、話者と聞き手から少し離れたところにあるもの(②)、話者と聞き手のどちらかしか知らないことを指すときに使う(③④)。

## 3 「あ(あれ・あの・あそこ・ああ)」の使い方

①あれが 有名な 東京スカイツリーです。

②ほら、あの 木の 上に 鳥が いますよ。

③きのう 行った 店は よかったですね。また あそこに 行きましょう。

④A「林さん、今日から たばこを やめると 言って いましたよ。」

　B「あの 人は いつも ああ 言います。」

☞ Used to indicate things that are some distance away from both the speaker and the listener, but visible to both (① ②). It is used to refer to things of which both the speaker and listener are aware (③ ④).
話者と聞き手の両方から離れていて、共通に見ているもの(①②)、話者と聞き手の両方が知っていることを指すときに使う(③④)。

れんしゅう1 「こ・そ・あ」の 正しい 形を 書いて ください。

1 すみません。___こ___ で たばこを すっても いいですか。

2 ①___そ___ 本は 持って 帰らないで、②___こ___ で 読んで ください。

3 客 「あの、①___こ___ シャツの Mサイズは ありますか。」
  店員「ああ、②___そ___ なら ありますよ。ちょっと 待って ください。」

4 ___あ___ めがねを かけて いる 人は だれですか。

5 バスの 客「①___あ___ に 高い ビルが ありますね。②___こ_____
             バスは ③___あ___ へんまで 行きますか。」
  運転手   「ええ、行きますよ。」


れんしゅう2 いちばん いい ものを えらんで ください。

1 先生「トムさん、(①   ) 時計、新しいですね。」
  トム「ええ、(②   )は 誕生日に 兄に もらったんです。」
  ①a これ      b それ      c その
  ②a これ      b この      c それ

2 【レストランで】
  A「(   )の カレーは おいしいですね。」
  B「そうですね。来週も 来ましょう。」
  a この 店      b その 店      c あの 店

3 A「先週、山田さんに 会いましたよ。」
  B「山田さん? (①   )は だれですか。」
  A「林さんの 友だちですよ。」
  B「ああ、(②   )ですか。おもしろい 人ですよね。」
  ①a この 人      b その 人      c あの 人
  ②a この 人      b その 人      c あの 人

4 うちの となりに 外国人が 住んで います。(   )も 日本語を 勉強して います。
  a あの 人      b その 人      c あそこの 人

# 12課　接続の言葉　Conjunctive terms

## 1　ですから・だから

①これは 一つ 100円です。ですから、三つで 300円です。

②もう 夜 8時だ。だから、教室には だれも いないと 思う。

③ここは 人が よく 通るんだ。だから、ここに 物を おかないで。

☞ Expresses a conclusion (fact, judgment or statement of inducement) arising from information in a foregoing statement.
前の文の帰結（事実・判断・働きかけ）を言う。

## 2　それで

①小さい 字が 見えなく なりました。それで、新しい めがねを 買いました。

②会社が 遠い。それで、毎朝 早く 家を 出る。

☞ Expresses a conclusion based on factual information in a foregoing statement.　前の文の帰結（事実）を言う。

## 3　けれど（も）

①とても がんばりました。けれども、いい てんは とれませんでした。

②この カメラは いい。けれど、少し 重い。

☞ Used when something contrasts with a foregoing statement, or stands in opposition to it.
前の文と反すること、対立的なことを言う。

## 4　それに

①バナナは おいしいです。それに、安いです。

②雨が ふって いるし、それに、風も ある。

☞ Expands on or adds to the content of a foregoing statement.　前の言葉や文と同じようなことを付け加えて言う。

## 5　たとえば

①日本の スポーツ、たとえば、じゅうどうを やって みたいです。

②山田さんは いつも おそく 帰る。たとえば、きのうは 11時に 帰った。

☞ Expresses an example of something mentioned in a foregoing statement.　前の言葉や文の例を言う。

## 6　（それ）では・じゃ

①トム「ぼくは 兄が います。」　　先生「じゃ、二人兄弟ですね。」

②じゅんびは できましたか。それでは、始めましょう。

③えっ？ サラは パーティーに 来ない？ じゃ、ぼくも やめようかな。

☞ Introduces a reaction to a foregoing statement (the English equivalent is *in that case*). The reaction can be one of inference, inducement or intent on the part of the speaker.
前の文の情報を受けて、話者の推論や意向、相手への働きかけなどを言う。

れんしゅう1　aか　bか　いい　ほうを　えらんで　ください。

1　この　映画は　おもしろい。(a だから　　b けれども)、長すぎる。

2　にもつは　きのう　送りました。(a ですから　　b それでは)、今日　着くと　思います。

3　A「あ、さいふを　わすれて　しまいました。」
　　B「(a それで　　b じゃ)、少し　貸しましょうか。」

4　頭が　いたい。(a たとえば　　b それに)、ねつも　ある。

5　日本語を　使う　仕事を　したいです。(a たとえば　　b それに)、ほんやくの　仕事です。

6　わたしは　今日　車で　来ました。(a ですから　　b それから)、おさけを　飲みません。

7　ここに　お金を　入れる。(a だから　　b それから)、ほしい　飲み物の　ボタンを　おす。

8　少し　太りました。(①a それに　　b それで)、毎日　ジョギングして　います。
　　(②a それに　　b それで)、食べ物にも　気を　つけて　います。

9　今の　へやは　少し　せまいです。(①a それに　　b それで)、駅から　遠いです。
　　(②a それに　　b それで)、ひっこす　ことに　しました。


れんしゅう2　aか　bか　いい　ほうを　えらんで　ください。

1　きのう　おそく　ねた。だから、(a ねむい　　b ねむくない)。

2　この　本は　わからない　言葉が　多いです。それに、(a やくに　立ちます　b 字が　小さいです)。

3　はじめて　この　料理を　作りました。けれども、(a おいしく　できたと　思います　b おいしく　できませんでした)。

4　A「今度の　日曜日は　いそがしいんです。」
　　B「では、(a 月曜日は　どうですか　　b 日曜日は　何を　しますか)。」

5　この　町には　花が　きれいな　こうえんが　多い。たとえば、(a わたしは　大森こうえんへは　行った　ことが　ない　　b 大森こうえんは　さくらの　こうえんだ)。

# 13課 副詞 Adverbs

## 1 まだ もう

① トム「<ruby>昼<rt>ひる</rt></ruby><ruby>ご飯<rt>はん</rt></ruby>は <u>もう</u> <ruby>食<rt>た</rt></ruby>べた?」

　サラ「ううん、<u>まだ</u> <ruby>食<rt>た</rt></ruby>べて いない。」

② トム「<ruby>銀行<rt>ぎんこう</rt></ruby>は <u>まだ</u> <ruby>開<rt>あ</rt></ruby>いて いますか。」

　<ruby>山田<rt>やまだ</rt></ruby>「4<ruby>時<rt>じ</rt></ruby>だから、<u>もう</u> しまって いますよ。」

③ これ、おいしい。<u>もう</u> <ruby>一<rt>ひと</rt></ruby>つ <ruby>食<rt>た</rt></ruby>べても いい?

④ スープに <u>もう</u> <ruby>少<rt>すこ</rt></ruby>し しおを <ruby>入<rt>い</rt></ruby>れて ください。

> ☞ もう indicates a state reached or process completed. まだ indicates a state not yet reached or a process not yet completed. もう is also used with "1 + counter suffix" or すこし to mean "a little more" (③④).
> 「もう」はある<ruby>状態<rt>じょうたい</rt></ruby>に<ruby>達<rt>たっ</rt></ruby>したこと、「まだ」は<ruby>達<rt>たっ</rt></ruby>していないことを<ruby>表<rt>あらわ</rt></ruby>す。「もう」は「1+<ruby>助数詞<rt>じょすうし</rt></ruby>」や「<ruby>少<rt>すこ</rt></ruby>し」などと<ruby>一緒<rt>いっしょ</rt></ruby>に<ruby>用<rt>もち</rt></ruby>い、その<ruby>量<rt>りょう</rt></ruby>をさらに<ruby>加<rt>くわ</rt></ruby>えることを<ruby>表<rt>あらわ</rt></ruby>すこともある(③④)。

## 2 なかなか やっと とうとう

① バスが <u>なかなか</u> <ruby>来<rt>き</rt></ruby>ません。

② <u>やっと</u> <ruby>仕事<rt>しごと</rt></ruby>が <ruby>終<rt>お</rt></ruby>わりました。

③ テレビが <u>とうとう</u> こわれて しまった。

> ☞ The なかなか〜ない patterns suggests that something will be or is difficult to realize or achieve. The やっと〜た pattern, equivalent to *at last* in English, suggests that something was completed only after a long time and with difficulty. The とうとう〜た、〜なかった pattern, equivalent to *in the end* in English, indicates that something finally happened, or failed to happen, after a long wait.
> 「なかなか〜ない」は、<ruby>実現<rt>じつげん</rt></ruby>が<ruby>難<rt>むずか</rt></ruby>しいことを<ruby>表<rt>あらわ</rt></ruby>す。「やっと〜た」は、<ruby>難<rt>むずか</rt></ruby>しいことや<ruby>時間<rt>じかん</rt></ruby>がかかることが<ruby>実現<rt>じつげん</rt></ruby>したことを<ruby>表<rt>あらわ</rt></ruby>す。「とうとう〜た/〜なかった」は<ruby>長<rt>なが</rt></ruby>い<ruby>時間<rt>じかん</rt></ruby>の<ruby>後<rt>あと</rt></ruby>、<ruby>最終的<rt>さいしゅうてき</rt></ruby>に<ruby>起<rt>お</rt></ruby>こった/<ruby>起<rt>お</rt></ruby>こらなかったことを<ruby>表<rt>あらわ</rt></ruby>す。

## 3 かならず きっと ぜひ

① わたしは <ruby>ご飯<rt>はん</rt></ruby>の <ruby>後<rt>あと</rt></ruby>で、<u>かならず</u> はを みがいて いる。

② あしたの <ruby>試合<rt>しあい</rt></ruby>は <u>かならず</u> かつぞ!

③ <ruby>今度<rt>こんど</rt></ruby>の テストでは <u>きっと</u> いい てんが とれるでしょう。

④ トム「<u>ぜひ</u> わたしの <ruby>国<rt>くに</rt></ruby>へ あそびに <ruby>来<rt>き</rt></ruby>て ください。」

　<ruby>山田<rt>やまだ</rt></ruby>「ええ、<u>ぜひ</u> <ruby>行<rt>い</rt></ruby>きたいです。」

> ☞ かならず means without exception, or express near-conviction, strong determination or inducement. きっと has slightly less conviction than かならず and is used to express intention and inducement but with somewhat less urgency. ぜひ expresses a strong wish or hope.
> 「かならず」は<ruby>例外<rt>れいがい</rt></ruby>がないこと、<ruby>確信<rt>かくしん</rt></ruby>に<ruby>近<rt>ちか</rt></ruby>い<ruby>推量<rt>すいりょう</rt></ruby>、<ruby>強<rt>つよ</rt></ruby>い<ruby>意志<rt>いし</rt></ruby>や<ruby>相手<rt>あいて</rt></ruby>への<ruby>働<rt>はたら</rt></ruby>きかけを<ruby>表<rt>あらわ</rt></ruby>す。「きっと」は「かならず」より<ruby>少<rt>すこ</rt></ruby>し<ruby>確実性<rt>かくじつせい</rt></ruby>の<ruby>弱<rt>よわ</rt></ruby>い<ruby>推量<rt>すいりょう</rt></ruby>、<ruby>少<rt>すこ</rt></ruby>し<ruby>弱<rt>よわ</rt></ruby>い<ruby>意志<rt>いし</rt></ruby>や<ruby>相手<rt>あいて</rt></ruby>への<ruby>働<rt>はたら</rt></ruby>きかけを<ruby>表<rt>あらわ</rt></ruby>す。「ぜひ」は<ruby>強<rt>つよ</rt></ruby>い<ruby>希望<rt>きぼう</rt></ruby>や<ruby>要望<rt>ようぼう</rt></ruby>を<ruby>表<rt>あらわ</rt></ruby>す。

れんしゅう1　aか　bか　いい　ほうを　えらんで　ください。

1　午後　4時ですが、（a もう　　b まだ）暗く　なりました。

2　はなちゃんは　（① a もう　　b まだ）3さいですが、（② a もう　　b まだ）
　かんたんな　漢字が　わかります。

3　来週の　よていは　（a もう　　b まだ）きまって　いません。

4　この　映画は　（a もう　　b まだ）1回　見たい。

5　かぎを　1時間も　さがして、（a やっと　　b なかなか）見つけました。

6　れんしゅうしても、（a やっと　　b なかなか）上手に　ならない。

7　夏休みは　（a やっと　　b とうとう）旅行には　行けませんでした。

8　生きる　ためには、（a きっと　　b かならず）水が　いります。

9　サラさんは　この　ぼうしが　（a きっと　　b ぜひ）好きだと　思います。

10　あ、旅行の　写真ですか。（a ぜひ　　b きっと）見たいです。見せて　ください。


れんしゅう2　aか　bか　いい　ほうを　えらんで　ください。

1　山田さんは　もう　（a 帰りました　　b 帰って　いません）。

2　きのう　買った　本は　まだ　（a 読みました　　b 読んで　いません）。

3　わたしは　まだ　（a 家に　います　　b 家を　出ました）。

4　今日は　もう　（a たくさん　　b 一人）友だちが　来ます。

5　1年　かかって、セーターが　やっと　（a できました　　b できません）。

6　地図を　見たけど、店の　場所が　なかなか　（a わかった　　b わからなかった）。

7　車を　とうとう　（a 買いたいです　　b 買いました）。

8　この　本は　きっと　（a おもしろいと　思います　　b おもしろかったです）。

9　あとで　かならず　（a 電話しますよ　　b 電話するかも　しれませんよ）。

10　わたしの　国の　料理です。ぜひ　（a 食べませんか　　b 食べて　ください）。

## 1　〜すぎます

①おいしかったので、食べすぎました。

②パソコンを　使いすぎて、目が　いたいです。

③へやが　寒すぎます。エアコンを　つけても　いいですか。

④わたしは　しずかすぎる　所では　勉強できません。

🐍 [動]ます・[イ形]い・[ナ形]な ＋すぎます　　例外：いいです→よすぎます
(Exception)

👉 Indicates that an action, behavior or state has gone beyond the appropriate extent. It usually has a negative meaning.
適切な程度を超えて〜であること・〜することを表す。ふつうマイナスの意味に使う。

## 2　〜にくいです

①説明が　ふくざつで、わかりにくいです。

②地図が　見にくくて、こまりました。

③くもりの　日は　せんたく物が　かわきにくい。

④もっと　切れにくい　いとは　ありませんか。

🐍 [動]ます　＋にくいです

👉 Indicates that ~ cannot be done simply (① ②) or happen easily (③ ④). It is used in both negative (① ② ③), and positive senses (④).
簡単には〜できないこと（①②）、なかなか〜しないこと（③④）を表す。マイナスの意味（①②③）にもプラスの意味（④）にも使える。

## 3　〜やすいです

①この　じしょは　字が　大きくて、読みやすいです。

②山に　のぼる　ときは、歩きやすい　くつを　はいて　ください。

③ガラスの　コップは　われやすい。

④冬は　かぜを　ひきやすい　きせつです。

🐍 [動]ます　＋やすいです

👉 Indicates that ~ can be done simply (① ②) or happen easily (③ ④). It has both positive (① ②), and negative senses (③ ④).
簡単に〜できること（①②）、すぐ〜してしまうこと（③④）を表す。プラスの意味（①②）にもマイナスの意味（③④）にも使える。

れんしゅう1　（　）の　中の　言葉を　正しい　形に　して、書いて　ください。

1　カードで　買い物を ＿＿＿＿＿＿＿すぎると、後で　こまりますよ。（する）

2　コーヒーを ＿＿＿＿＿＿＿すぎて　しまって、ねむれません。（飲む）

3　この　ケーキは ＿＿＿＿＿＿＿すぎます。（あまい）

4　話が ＿＿＿＿＿＿＿すぎて、よく　わかりませんでした。（むずかしい）

5　あの　人は ＿＿＿＿＿＿＿すぎるので、おもしろくない。（まじめ）

6　この　はこは　大きくて、＿＿＿＿＿＿＿にくいです。（運ぶ）

7　大きい　ハンバーガーは ＿＿＿＿＿＿＿にくいです。（食べる）

8　＿＿＿＿＿＿＿やすい　ペンは　どれですか。（書く）

9　よく　使う　本は ＿＿＿＿＿＿＿やすい　所に　おこう。（とる）

10　この　漢字は ＿＿＿＿＿＿＿やすいので、注意して　ください。（まちがえる）

れんしゅう2　aか　bか　いい　ほうを　えらんで　ください。

1　サラさんは　えが　（a 上手すぎて　　b 上手で）、いいですね。

2　スープに　しおを　入れすぎて、（a おいしく　なりました
　　b おいしくなく　なりました）。

3　この　町は、こうつうが　べんりで、（a 住みやすいです　　b 住みにくいです）。

4　この　へやは　かべが　あついので、外の　音が　（a 聞こえやすいです
　　b 聞こえにくいです）。

5　この　いすは　高すぎて、（a すわりやすいです　　b すわりにくいです）。

6　わたしの　じしょは　（a 使いやすいので　　b 使いにくいので）、新しいのが
　　ほしいです。

7　きのう　雨が　ふったから、山道は　（a すべりやすいよ　　b すべりにくいよ）。

8　これは　（a こわれやすくて　　b こわれにくくて）、いい　おもちゃですね。

9　カラオケで　（a 歌いやすくて　　b 歌いすぎて）、のどが　いたくなりました。

# 15課 品詞 Parts of speech

## 1 名詞 (Noun) ⇔ 動詞 (Verb)

①料理は 好きですが、そうじは 好きでは ありません。[⇔ 料理します、そうじします]

②帰りの きっぷは もう 買いました。[⇔ 帰ります]

③山のぼりは 楽しいですよ。[⇔ 山に のぼります]

☞ nouns する are treated as nouns. verbs ます are also treated as nouns in a limited range of cases. When particles such as を、で and に are needed, the kind of abbreviated pattern seen in (③) results (やまにのぼります→やまのぼり).

「名 する」は名詞として扱う。「動 ます」も名詞として扱うが、習慣的に限られた動詞だけで、助詞(を・で・になど)が入る場合は、③のように助詞を取った形になる(山にのぼります→山のぼり)。

## 2 名詞 (Noun) ⇔ 形容詞 (Adjective)

①東京スカイツリーの 高さは 634メートルです。[⇔ 高い]

②場所の べんりさを 考えて、ホテルを えらびます。[⇔ べんりな]

☞ Addition of さ to イ adjectives い (exception: いい→よさ) (①) and to ナ adjectives な turns these adjectives into nouns (②).

「イ形 い +さ(例外:いい→よさ)」(①)、「ナ形 な +さ」(②)は名詞として扱う。

## 3 副詞 (Adverb) ⇔ 形容詞 (Adjective)

①みんなで 楽しく 話しましょう。[⇔ 楽しい]

②手を きれいに あらって ください。[⇔ きれいな]

☞ Addition of く to イ adjectives い (exception: いい→よく) (①) and of に to ナ adjectives な turns these adjectives into adverbs (②).

「イ形 い +く(例外:いい→よく)」(①)、「ナ形 な +に」(②)は副詞として扱う。

## 4 名詞 (Noun) ⇔ 文 (Sentences and phrases)

①友だちと 話すの／ことは 楽しいです。[⇔ 友だちと 話す]

②トムさんと 会う やくそくを したの／ことを わすれて いました。

[⇔ 会う やくそくを した]

☞ Addition of の or こと to a plain-form statement turns it into a noun phrase.

「ふつう形 +の・こと」は名詞として扱う。

れんしゅう1 （　　）の 中の 言葉を 正しい 形に して、書いて ください。

1　この 店は 日曜日は ＿＿＿＿＿＿です。（休む）

2　わたしの しゅみは ＿＿＿＿＿＿です。（魚を つる）

3　パーティーの 後の ＿＿＿＿＿＿は ぼくたちが するよ。（かたづける）

4　サービスの ＿＿＿＿＿＿では Kホテルが いちばんです。（いい）

5　にもつの①＿＿＿＿＿＿と ②＿＿＿＿＿＿を 教えて ください。（大きい、重い）

6　家族の ＿＿＿＿＿＿が よく わかりました。（大切）

7　毎日 遠くから ＿＿＿＿＿＿のは たいへんだね。（通う）

8　母が きのう 日本に ＿＿＿＿＿＿ことを 先生に 話した。（来る）

9　みなさんの 意見を ＿＿＿＿＿＿ 言って ください。（じゆう）

10　ピーターさんは 日本に ＿＿＿＿＿＿ 住んで います。（長い）


れんしゅう2 いちばん いい ものを えらんで ください。

1　外は （　　）から、早く 中に 入って。
　　a 寒さ　　　　　　b 寒い　　　　　　c 寒い こと

2　くだものの ねだんが （　　）に おどろきました。
　　a 高い　　　　　　b 高さ　　　　　　c 高い こと

3　東京の 地下鉄の （　　）は 有名です。
　　a ふくざつさ　　　b ふくざつ　　　　c ふくざつの

4　この 店は 店員が とても （　　）、気持ちが いいです。
　　a 親切な　　　　　b 親切に　　　　　c 親切で

5　ヨーロッパの 家では、日本の 家ほど 電気を （　　）つけません。
　　a 明るい　　　　　b 明るくて　　　　c 明るく

6　わたしの 国と 日本とでは、いろいろな 文化の （　　）が あります。
　　a ちがう　　　　　b ちがい　　　　　c ちがい こと

7　（　　）、たくさん 食べて ください。
　　a おいしかったら　b おいしさだったら　c おいしい ことだったら

もんだい1　（　　）に　何を　入れますか。1・2・3・4から　いちばん　いい　もの
　　　　　を　一つ　えらんで　ください。

1　A「少し　先で、オートバイの　じこが　あったらしいですよ」
　　B「（　　）、道が　こんで　いるんですね。」
　　1　それで　　　　　2　それから　　　　3　それに　　　　4　それには

2　富士山に　行って、人が　（　　）に　まず　びっくりしました。
　　1　多さ　　　　　2　多いこと　　　3　多い　　　　4　多く

3　友だちに　あげる　カードは、（　　）字で　書きます。
　　1　ていねい　　　2　ていねいに　　3　ていねいな　　4　ていねいの

4　A「あれ？　かぜですか。」
　　B「ええ。きのう　まどを　（　　）ねて　しまって……。」
　　1　しめないと　　2　しめないので　3　しめないで　　4　しめなくて

5　A「この　おさけ、どうですか。おいしいですよ。」
　　B「ええ、ぜひ　（　　）。」
　　1　飲んで　みました　　　　　　　2　飲んで　みたいです
　　3　飲んで　いました　　　　　　　4　飲んで　います

6　その　問題だけは　（　　）さいごまで　答えが　わからなかった。
　　1　まだ　　　　　2　もう　　　　3　やっと　　　　4　とうとう

もんだい2　＿★＿に　入る　ものは　どれですか。1・2・3・4から　いちばん
　　　　　いい　ものを　一つ　えらんで　ください。

1　たのんだ　＿＿＿＿　＿＿＿＿　＿★＿　＿＿＿＿　言いました。
　　1　来なかったので　　2　なかなか　　　3　料理が　　　　4　店員に

2　少し　かんたんに ＿＿＿ ＿＿＿ ★ ＿＿＿ 地図より　見やすい。

　　1　地図の　　　　　2　くわしすぎる　　　3　ほうが　　　　　4　した

3　A「ぼうし、どこで　なくしたんですか。」

　　B「先週の　旅行で ＿＿＿ ＿＿＿ ★ ＿＿＿ きたみたいなんです。」

　　1　帰りの　　　　　2　わすれて　　　　　3　中に　　　　　　4　電車の

もんだい3　　1　から　　4　に　何を　入れますか。文章の　意味を　考えて　1・2・3・4から　いちばん　いい　ものを　一つ　えらんで　ください。

---

### 本の　しょうらい

　　　　　　　　　　　　　　　　　　　　　　　　　トム・ブラウン

　教室では　みんな　電子じしょを　使って　いて、紙の　じしょを　使って　いる　人は　少ないです。ほかの　本も　同じです。さいきん　スマートフォンや　タブレットで　読める　「デジタルブック」が　たくさん　1　ように　なりました。デジタルブックは　どこにでも　持って　いきやすいので、べんりです。2　、紙の　本にも　よさが　あると　思います。本を　作る　人は、どんな　3　、どんな　紙で、どんな　字の　本を　作るか　考えて　作って　いるでしょう。

　わたしの　友だちで　本が　大好きな　人が　います。4　人は　しょうらい、紙の　本は　なくなって　しまうかも　しれないと　言って、しんぱいして　います。でも、ページを　開いて、紙に　書かれた　字を　読む　ことが　楽しいと　思う　人は　まだ　いなく　ならないと　わたしは　思います。

---

1　1　売る　　　　　2　売られる　　　　3　売らせる　　　　4　売らせて　いる
2　1　けれども　　　2　それで　　　　　3　それに　　　　　4　たとえば
3　1　大きくて　　　2　大きく　して　　3　大きさで　　　　4　大きくても
4　1　あれの　　　　2　それの　　　　　3　あの　　　　　　4　その

模擬試験

Mock Test

もんだい1 （　）に 何を 入れますか。1・2・3・4から いちばん いい もの
　　　　　を 一つ えらんで ください。

[1] この 花は あの まるい テーブルの 上（　）かざりましょう。
　　　1 で　　　　　　2 に　　　　　　3 を　　　　　　4 が

[2] 旅行会社の 人「あしたは 10時に この ホテル（　）出発して、一日中
　　　　　　　　　　町を 見物します。」
　　　1 を　　　　　　2 で　　　　　　3 へ　　　　　　4 に

[3] これは（　）あげられません。大切な 人から もらった 物なんです。
　　　1 一人も　　　　2 一人でも　　　3 だれにも　　　4 だれでも

[4] わあ、（　）セーターですね。色も いいし……。
　　　1 あたたかいらしい　　　　　　　2 あたたかそうな
　　　3 あたたかいみたいな　　　　　　4 あたたかい はずの

[5] A「この 写真の 人を 知って いますか。」
　　B「うーん、どこかで 1、2度（　）あるんですが、思い出せません。」
　　　1 会うのが　　　　　　　　　　　2 会う ことが
　　　3 会ったのが　　　　　　　　　　4 会った ことが

[6] おいしそうな ケーキが ありますね……。じゃ、ダイエットは あしたからに
　　（　）と 思います。
　　　1 する　　　　　　2 しよう　　　　3 して いる　　4 して

[7] A「あれ、めがねは どこに おいたんだろう。」
　　B「めがねなら、ここに おいて（　）。」
　　　1 ありますよ　　　　　　　　　　2 きますよ
　　　3 おきますよ　　　　　　　　　　4 いきますよ

8 A「600字いないで　作文を　書いて　ください。」

B「ああ、よかった。（　　）んですね。」

1　800字でなくても　いい　　　　　　2　800字でなければ　いけない

3　800字でも　いい　　　　　　　　　4　800字では　いけない


9 A「来週、田中さんの　けっこんしきに　行くんです。」

B「けっこんしきに　（　　）、白い　服を　着て　いかないほうが　いいですよ。」

1　行くと　　　　　2　行ったら　　　3　行くなら　　　4　行けば


10 A「今度の　パーティーには　ぜんぶで　何人　来ますか。」

B「何人に　（　　）　まだ　わからないんですが、20人ぐらいだと　思います。」

1　なって　　　　　2　なるのが　　　3　なったら　　　4　なるか


11 さいきん、となりの　家から　ピアノの　音が　（　　）　なりました。

1　聞くように　　　　　　　　　　　　2　聞こえるように

3　聞く　ことに　　　　　　　　　　　4　聞こえる　ことに


12 A「たくさん　にもつが　ありますね。一つ　（　　）。」

B「すみません。おねがいします。」

1　持って　ください　　　　　　　　　2　持ちますか

3　持ちませんか　　　　　　　　　　　4　持ちましょうか


13 今日は　（　　）　電車が　こんで　いますね。何か　あったんでしょうか。

1　いつもより　　　　　　　　　　　　2　いつもほど

3　いつもなら　　　　　　　　　　　　4　いつもだけ

14 A「あ、めずらしい　魚ね。自分で　料理するの？　だいじょうぶ？」

　　B「だいじょうぶ。店員さんに　料理の　し方を　よく　（　　）　買ったから。」

　　1　聞いて　あげて　　　　　　　　　　2　聞いて　くれて

　　3　聞かれてから　　　　　　　　　　　4　聞いてから

15　そんなに　（　　）　考えないで、まず　やって　みて　ください。

　　1　むずかしいに　　　　　　　　　　　2　むずかしさ

　　3　むずかしく　　　　　　　　　　　　4　むずかしくて

もんだい2　＿★＿に　入る　ものは　どれですか。1・2・3・4から　いちばん
　　　　　　いい　ものを　一つ　えらんで　ください。

16 A「おいしかったね、あの　店。また　行こうね。」

　　B「あ！　店に　けいたい電話を　おいて　＿＿＿　＿＿＿　＿★＿　＿＿＿　と。」

　　1　しまったから　　　　2　もどらない　　　　3　きて　　　　　　4　とりに

17 A「あれ？　この　本は　何ですか。かたづけても　いいですか。」

　　B「いえ、＿＿＿　＿＿＿　＿★＿　＿＿＿　あるんです。」

　　1　わすれない　　　　　2　出して　　　　　　3　ように　　　　　4　あした

18　これは　この　しまで　＿＿＿　＿＿＿　＿★＿　＿＿＿　そうですよ。

　　1　めずらしい　　　　　2　見られない　　　　3　鳥だ　　　　　　4　しか

19　なかなか　出かける　＿＿＿　＿＿＿　＿★＿　＿＿＿　しまいました。

　　1　できなくて　　　　　2　おそく　　　　　　3　なって　　　　　4　じゅんびが

20　わたしたちが　会った　＿＿＿　＿＿＿　＿★＿　＿＿＿　すぐに　友だちに
なりました。

　　1　はじめてだった　　　2　その　ときが　　　3　のに　　　　　　4　のは

もんだい3　　21　から　25　に　何を　入れますか。文章の　意味を　考えて　1・2・3・4から　いちばん　いい　ものを　一つ　えらんで　ください。

---

こけし

サラ・スミス

　先月　ある　町に　旅行に　行った　とき、「こけし」　21　おみやげを　買いました。こけしは　木の　人形で、大きさは　いろいろ　ありましたが、わたしが　22　、せの　高さが　25センチぐらいの　物です。手も　足も　首も　ない　まっすぐな　体の　上に　小さい　ボールの　ような　頭が　23　。それだけの　形の　人形ですが、とても　やさしい　顔を　して　います。細い　目と　小さい　口が　特に　いいです。体には　赤い　花が　かいて　あります。どの　こけしも　みんな　赤い　色が　使われて　いました。わたしは　店の　人に　「　24　ですか。」と　聞いて　みました。店の　人の　話では、赤は　病気を　体に　入れない　色なのだそうです。

　この　町は　特に　こけしの　おみやげが　有名で、むかしから　よく　売られて　いたようです。でも、　25　、こけしは　ここだけではなく、日本中の　いろいろな　所で　買う　ことが　できます。

---

21　1　と　いう　　　　　　　　　2　と　いった
　　3　と　いって　いた　　　　　4　と　いわれた
22　1　買うのは　　　　　　　　　2　買って　いたのは
　　3　買って　いるのは　　　　　4　買ったのは
23　1　つきました　　　　　　　　2　ついて　います
　　3　ついて　きました　　　　　4　ついて　いきます
24　1　どう　　　　　2　どうして　　　3　どんな　こと　　4　どうやって
25　1　今も　　　　　2　今でも　　　　3　今では　　　　　4　今から

著者

友松悦子
　　地域日本語教室　主宰
福島佐知
　　拓殖大学別科日本語教育課程、亜細亜大学全学共通科目担当、
　　東京外国語大学世界教養プログラム　非常勤講師
中村かおり
　　拓殖大学外国語学部　准教授


翻訳
英語　Ian Channing


イラスト
山本和香


装丁・本文デザイン
糟谷一穂

# 新完全マスター文法　日本語能力試験N4

2014年10月20日　初版第1刷発行
2020年 5 月13日　第 7 刷 発 行

著　者　　友松悦子　福島佐知　中村かおり
発行者　　藤嵜政子
発　行　　株式会社スリーエーネットワーク
　　　　　〒102-0083　東京都千代田区麹町3丁目4番
　　　　　　　　　　　トラスティ麹町ビル2Ｆ
　　　　　電話　営業　03（5275）2722
　　　　　　　　編集　03（5275）2725
　　　　　https://www.3anet.co.jp/
印　刷　　萩原印刷株式会社

ISBN978-4-88319-694-4　C0081

新完全マスター **文法** 日本語能力試験 **N4**

別冊

解答

スリーエーネットワーク

## <ruby>形<rt>かたち</rt></ruby>の<ruby>練習<rt>れんしゅう</rt></ruby>

### 1. 動詞のグループ P13

| | | | |
|---|---|---|---|
| 1 Ⅰ | 2 Ⅲ | 3 Ⅰ | 4 Ⅱ |
| 5 Ⅱ | 6 Ⅰ | 7 Ⅰ | 8 Ⅲ |
| 9 Ⅰ | 10 Ⅱ | 11 Ⅱ | 12 Ⅰ |
| 13 Ⅰ | 14 Ⅰ | 15 Ⅰ | 16 Ⅰ |
| 17 Ⅱ | 18 Ⅱ | 19 Ⅱ | 20 Ⅰ |

### 2. て形・た形 P15

**1.**
1 <ruby>飲<rt>の</rt></ruby>んで　　2 <ruby>考<rt>かんが</rt></ruby>えて
3 <ruby>貸<rt>か</rt></ruby>して　　4 <ruby>電話<rt>でんわ</rt></ruby>して
5 <ruby>来<rt>き</rt></ruby>て　　6 ふいて
7 <ruby>帰<rt>かえ</rt></ruby>って　　8 <ruby>借<rt>か</rt></ruby>りて
9 <ruby>買<rt>か</rt></ruby>って　　10 <ruby>走<rt>はし</rt></ruby>って
11 わかって　　12 <ruby>見<rt>み</rt></ruby>えて
13 かって　　14 よんで
15 さわいで　　16 <ruby>着<rt>き</rt></ruby>て

**2.**
1 <ruby>開<rt>あ</rt></ruby>けて　　2 <ruby>使<rt>つか</rt></ruby>って
3 <ruby>見<rt>み</rt></ruby>せて　　4 <ruby>住<rt>す</rt></ruby>んで
5 ふって

**3.**
1 <ruby>休<rt>やす</rt></ruby>んだ　　2 <ruby>歩<rt>ある</rt></ruby>いた
3 あそんだ　　4 おした
5 なった　　6 およいだ
7 あった　　8 もらった
9 おくれた　　10 <ruby>待<rt>ま</rt></ruby>った
11 とった　　12 <ruby>持<rt>も</rt></ruby>って きた

| | | | |
|---|---|---|---|
| 書きます | 書く | 書かない | 書いた | 書かなかった |
| 行きます | 行く | 行かない | 行った | 行かなかった |
| およぎます | およぐ | およがない | およいだ | およがなかった |
| 話します | 話す | 話さない | 話した | 話さなかった |
| 死にます | 死ぬ | 死なない | 死んだ | 死ななかった |
| ならびます | ならぶ | ならばない | ならんだ | ならばなかった |
| 読みます | 読む | 読まない | 読んだ | 読まなかった |
| 会います | 会う | 会わない | 会った | 会わなかった |
| 持ちます | 持つ | 持たない | 持った | 持たなかった |
| 帰ります | 帰る | 帰らない | 帰った | 帰らなかった |
| 見ます | 見る | 見ない | 見た | 見なかった |
| できます | できる | できない | できた | できなかった |
| ねます | ねる | ねない | ねた | ねなかった |
| 食べます | 食べる | 食べない | 食べた | 食べなかった |
| します | する | しない | した | しなかった |
| 来ます | 来る | 来ない | 来た | 来なかった |
| 大きいです | 大きい | 大きくない | 大きかった | 大きくなかった |
| いいです | いい | よくない | よかった | よくなかった |
| ほしいです | ほしい | ほしくない | ほしかった | ほしくなかった |
| きれいです | きれいだ | きれいではない | きれいだった | きれいではなかった |
| 好きです | 好きだ | 好きではない | 好きだった | 好きではなかった |
| 病気です | 病気だ | 病気ではない | 病気だった | 病気ではなかった |
| 休みです | 休みだ | 休みではない | 休みだった | 休みではなかった |

## 4. 可能の形

1. 1 住<sub>す</sub>める　　　2 入<sub>い</sub>れられる　　　3 かえせる
   4 ひける　　　　5 れんしゅうできる　6 のぼれる
   7 持<sub>も</sub って　こられる　8 歌<sub>うた</sub>える　　　9 おぼえられる
   10 走<sub>はし</sub>れる　　　11 生<sub>い</sub>きられる　　12 持<sub>も</sub>てる
   13 あそべる　　　14 着<sub>き</sub>られる　　　15 きめられる
2. 1 借<sub>か</sub>りられ　　　2 飲<sub>の</sub>め　　　　3 働<sub>はたら</sub>け
   4 運転<sub>うんてん</sub>でき　　　5 使<sub>つか</sub>え

## 5. 「～ば・～なら」の形

1. 1 会<sub>あ</sub>えば　　　　　2 つければ
   3 けせば　　　　　　4 たのめば
   5 できれば　　　　　6 来<sub>く</sub>れば
   7 行<sub>い</sub>けば　　　　　8 間<sub>ま</sub>に合<sub>あ</sub>えば
   9 飲<sub>の</sub>まなければ　　10 聞<sub>き</sub>かなければ
   11 わからなければ　　12 安<sub>やす</sub>ければ
   13 むずかしければ　　14 きれいなら
   15 遠<sub>とお</sub>くなければ　　16 ひまなら
   17 かんたんなら　　　18 重<sub>おも</sub>い　病気<sub>びょうき</sub>なら
   19 いそがしくなければ　20 休<sub>やす</sub>みでなければ
2. 1 飲<sub>の</sub>まなければ　　2 安<sub>やす</sub>くなければ
   3 いい　てんなら　　4 聞<sub>き</sub>けば
   5 しずかなら

## 6. う・よう形

1. 1 来<sub>こ</sub>よう　　　　2 やめよう　　　3 さんぽしよう
   4 おこう　　　　　5 あびよう　　　6 話<sub>はな</sub>そう
   7 読<sub>よ</sub>もう　　　　8 急<sub>いそ</sub>ごう　　　9 入<sub>はい</sub>ろう
   10 出<sub>で</sub>よう　　　　11 もらおう　　　12 持<sub>も</sub>とう
   13 教<sub>おし</sub>えよう　　　14 おりよう　　　15 運<sub>はこ</sub>ぼう
2. 1 休<sub>やす</sub>もう　　　　2 習<sub>なら</sub>おう　　　3 借<sub>か</sub>りよう
   4 しめよう　　　　5 行<sub>い</sub>こう、しよう

## 7. 受身の形

**1.** 1 開(あ)けられる  2 とられる  3 たのまれる
　　 4 おされる  5 わらわれる  6 そだてられる
　　 7 売(う)られる  8 立(た)たれる  9 すわられる
　　 10 食(た)べられる  11 すてられる  12 たたかれる
　　 13 持(も)って　こられる  14 注意(ちゅうい)される  15 見(み)られる

**2.** 1 しょうたいされ  2 ぬすまれ  3 聞(き)かれ
　　 4 こわされ  5 建(た)てられ

## 8. 使役の形

**1.** 1 書(か)かせる  2 運(はこ)ばせる  3 走(はし)らせる
　　 4 答(こた)えさせる  5 休(やす)ませる  6 出(だ)させる
　　 7 手伝(てつだ)わせる  8 待(ま)たせる  9 急(いそ)がせる
　　 10 食(た)べさせる  11 こまらせる  12 れんしゅうさせる
　　 13 しらべさせる  14 着(き)させる

**2.** 1 かたづけさせ  2 わらわせ  3 入(はい)らせ
　　 4 あそばせ  5 来(こ)させ

## 9. 使役受身の形

**1.** 1 なかされる(なかせられる)  2 持(も)たされる(持(も)たせられる)
　　 3 読(よ)まされる(読(よ)ませられる)  4 出(だ)させられる
　　 5 やめさせられる  6 答(こた)えさせられる
　　 7 帰(かえ)らされる(帰(かえ)らせられる)  8 買(か)わされる(買(か)わせられる)
　　 9 およがされる(およがせられる)  10 すわらされる(すわらせられる)
　　 11 待(ま)たされる(待(ま)たせられる)  12 つけさせられる
　　 13 させられる

**2.** 1 来(こ)させられ  2 作(つく)らされ(作(つく)らせられ)
　　 3 手伝(てつだ)わされ(手伝(てつだ)わせられ)  4 食(た)べさせられ
　　 5 行(い)かされ(行(い)かせられ)

実力養成編
第1部　意味機能別の文法形式

**1課** P33

れんしゅう1
1 d　　2 a
3 b　　4 ①a ②c ③e
5 b　　6 ①d ②c
7 e

れんしゅう2
1 b　　2 b
3 a　　4 a
5 b　　6 a
7 b　　8 a

**2課** P35

れんしゅう1
1 言い
2 帰る
3 歩いて　いる
4 作って　いる
5 終わった
6 来る

れんしゅう2
1 a　　2 a
3 b　　4 c
5 b　　6 c

**3課** P37

れんしゅう1
1 ①飲み
　②入り
2 行き
3 手伝おう
4 ①すわり
　②し

れんしゅう2
1 b　　2 a
3 b　　4 ①b ②b
5 b　　6 a

**4課** P39

れんしゅう1
1 作れます(作れる)
2 できる
3 思い出せない
4 持って　いけます
5 いられます
6 来られます
7 見る
8 入る

れんしゅう2
1 b　　2 c
3 b　　4 c
5 a　　6 b
7 a

**5課** P41

れんしゅう1
1 会った
2 考えた
3 乗る
4 ねむれない
5 した
6 する

れんしゅう2
1 b　　2 a
3 a　　4 a
5 a　　6 b
7 b　　8 a

**まとめ問題(1課～5課)**

P42 ～ P43

もんだい1

| 1 | 4 | 2 | 1 | 3 | 3 |
| 4 | 3 | 5 | 2 | 6 | 2 |

もんだい2

1　3(143 2)
2　3(243 1)
3　4(324 1)

もんだい3

1　2　　2　3　　3　1
4　1

7

**れんしゅう1**

1 食べて
2 あしたで
3 およいで
4 見て
5 しなくて
6 大きくなくて
7 起きなけれ
8 入れなけれ

**れんしゅう2**

1 b　　2 b
3 a　　4 b
5 a　　6 b
7 b

**れんしゅう1**

1 ①ほしかったです
　②ほしくない
2 帰り
3 食べ
4 来る
5 おいしい
6 ある

**れんしゅう2**

1 c　　2 b
3 a　　4 b
5 c　　6 b
7 a

**れんしゅう1**

1 たおれ
2 ねられ
3 よさ
4 なさ
5 はずかし
6 ざんねん
7 むかしの
8 はいた

**れんしゅう2**

1 b　　2 a　　3 a
4 a　　5 a　　6 b
7 b　　8 a　　9 b
10 a　　11 a　　12 b
13 a

**れんしゅう1**

1 学生だ
2 休みな
3 中学生だった
4 よかった
5 できて
6 ふくざつで
7 できなくて
8 かてなくて

**れんしゅう2**

1 a　　2 a　　3 b
4 b　　5 b　　6 a
7 b　　8 a　　9 b
10 a　　11 a

**れんしゅう1**

1 見物
2 買い
3 つくる
4 下がる
5 わすれない

**れんしゅう2**

1 b　　2 b
3 b　　4 c
5 b　　6 c
7 a　　8 a

**まとめ問題(1課～10課)**

P54～P55

**もんだい1**

|1| 2　　|2| 3　　|3| 1
|4| 3　　|5| 4　　|6| 2

**もんだい2**

|1| 1（23<u>1</u>4）
|2| 3（24<u>3</u>1）
|3| 2（13<u>2</u>4）

**もんだい3**

|1| 3　　|2| 2　　|3| 4
|4| 1

## 11課 P57

**れんしゅう1**

1 きれいだ
2 よかった
3 仕事(しごと)だ
4 下(さ)がったり
5 したり

**れんしゅう2**

1 b　　2 b
3 c　　4 a
5 b　　6 c
7 a　　8 b

## 12課 P59

**れんしゅう1**

1 男(おとこ)の 子(こ)
2 飲(の)まない
3 正(ただ)しい
4 休(やす)みの
5 だめな
6 ほんとうの
7 好(す)き

**れんしゅう2**

1 a　　2 c
3 c　　4 a
5 a　　6 b
7 ①a ②b

## 13課 P61

**れんしゅう1**

1 言(い)い
2 持(も)って いった
3 すわない
4 やめない

**れんしゅう2**

1 b　　2 b
3 a　　4 c
5 b　　6 c
7 b　　8 a

## 14課 P63

**れんしゅう1**

1 飲(の)んだ
2 終(お)わらなかった
3 広(ひろ)けれ
4 ①かけれ
　　②かけなけれ
5 よけれ
6 午後(ごご)
7 ある
8 短(みじか)い

**れんしゅう2**

1 b　　2 b
3 a　　4 c
5 a　　6 c

## 15課 P65

**れんしゅう1**

1 書(か)いた
2 帰(かえ)った
3 起(お)きた
4 買(か)う
5 作(つく)り方(かた)
6 休(やす)み
7 いたい
8 見(み)た

**れんしゅう2**

1 c　　2 c
3 a　　4 a
5 b

## まとめ問題(1課〜15課)

P66 〜 P67

**もんだい1**

| 1 | 2 | 2 | 2 | 3 | 3 |
| 4 | 4 | 5 | 1 | 6 | 4 |

**もんだい2**

1 3(24 3 1)
2 1(24 1 3)
3 2(14 2 3)

**もんだい3**

| 1 | 1 | 2 | 2 | 3 | 4 |
4 1

**れんしゅう1**

1 なくて
2 飲んで
3 食べて
4 昼で
5 書いた
6 好きな
7 よかった
8 大学生な

**れんしゅう2**

1 b　2 a　3 b
4 b　5 a　6 a
7 b　8 b　9 a

**れんしゅう1**

1 いる／いない
2 寒かった
3 べんりだ
4 いい
5 食べる
6 行った
7 元気

**れんしゅう2**

1 b　　2 a
3 b　　4 b
5 a　　6 b
7 a

**れんしゅう1**

1 しよう
2 見よう
3 さがそう
4 とろう
5 休む
6 つづける
7 行かない

**れんしゅう2**

1 a　　2 a　　3 b
4 a　　5 a　　6 b
7 a　　8 a　　9 b

**れんしゅう1**

1 ある
2 たいへんだ
3 なる
4 10課までだ
5 いい
6 上手

**れんしゅう2**

1 b　　2 a
3 b　　4 a
5 a　　6 b
7 a

**れんしゅう1**

1 少なく
2 色に
3 あまく
4 いそがしく
5 よく
6 上手に
7 読めるように
8 わからなく

**れんしゅう2**

1 a　2 a　3 b
4 a　5 b　6 ①a　②a
7 b　8 b　9 b
10 a　11 a　12 a
13 a　14 b　15 a

**まとめ問題（1課〜20課）**

P78〜P79

**もんだい1**

[1] 1　[2] 2　[3] 3
[4] 4　[5] 2　[6] 2

**もんだい2**

[1] 3（24_3_1）
[2] 1（24_1_3）
[3] 4（31_4_2）

**もんだい3**

[1] 3　[2] 2　[3] 1
[4] 1

## 21課　P81

**れんしゅう1**

1 紅茶に

2 買う　ことに

3 出かけない　ことに

4 飲まない　ことに

5 ABC 会館に

6 来週の　火曜日に

7 働く　ことに

**れんしゅう2**

1 ①b ②b　2 a

3 b　　　　4 a

5 b　　　　6 a

7 b　　　　8 ①a ②b

9 b　　　　10 a

## 22課　P83

**れんしゅう1**

1 飲んで

2 そうじして

3 おいて

4 持って　きて

5 見えなく　なって

**れんしゅう2**

1 c　　　2 a

3 b　　　4 c

5 b　　　6 ①c ②a

## 23課　P85

**れんしゅう1**

1 見せて

2 しょうたいして

3 教えて

4 とって

5 なおして

**れんしゅう2**

1 b　　　　2 c

3 c　　　　4 ①c ②a

5 ①c ②b　6 ①b ②a

## 24課　P87

**れんしゅう1**

1 たのまれ

2 しかられ

3 すてられ

4 まちがえられ

5 来られ

6 とられ

7 知られ

**れんしゅう2**

1 b　　　2 ①b ②c

3 b　　　4 a

5 b　　　6 c

7 a

## 25課　P89

**れんしゅう1**

1 おぼえさせ

2 行かせ

3 わらわせ

4 食べさせ

5 よろこばせ

6 書かされ(書かせられ)

7 来させられ

**れんしゅう2**

1 b　　　2 a

3 c　　　4 a

5 c　　　6 c

7 b　　　8 a

## まとめ問題(1課～25課)

P90 ～ P91

**もんだい1**

| 1 | 2 | | 2 | 4 | | 3 | 1 |
|---|---|---|---|---|---|---|---|

| 4 | 3 | | 5 | 4 | | 6 | 2 |
|---|---|---|---|---|---|---|---|

**もんだい2**

| 1 | 1(2 3 <u>1</u> 4) |
|---|---|
| 2 | 1(2 4 <u>1</u> 3) |
| 3 | 3(1 4 <u>3</u> 2) |

**もんだい3**

| 1 | 2 | | 2 | 4 | | 3 | 1 |
|---|---|---|---|---|---|---|---|

| 4 | 3 |
|---|---|

11

# 第2部　文法形式の整理

## 1課　P95

### れんしゅう1

1 に　　　2 で
3 で　　　4 ①で ②に
5 ①で ②に
6 ①で ②に ③に
7 ①に ②に　8 ①で ②に
9 ①に ②に　10 ①に ②で

### れんしゅう2

1 b　　2 a　　3 a
4 a　　5 b　　6 a
7 b　　8 a　　9 b
10 b

## 2課　P97

### れんしゅう1

1 ①を ②と　2 を
3 と　　　　4 ①を ②と
5 を　　　　6 と
7 を　　　　8 と
9 を

### れんしゅう2

1 b　　2 a　　3 b
4 a　　5 b　　6 b
7 b　　8 b　　9 a
10 a

## 3課　P99

### れんしゅう1

1 も　　　2 も
3 ×　　　4 も
5 しか　　6 ×
7 も　　　8 しか
9 も　　　10 ×

### れんしゅう2

1 a　　2 b
3 b　　4 a
5 b　　6 a
7 b

## 4課　P101

### れんしゅう1

1 だけ　　　2 だけ
3 でも　　　4 だけ
5 ①だけ ②でも
6 でも　　　7 でも
8 だけ　　　9 だけ
10 ①だけ ②でも

### れんしゅう2

1 b　　2 b
3 b　　4 a
5 b　　6 b
7 a　　8 a

## 5課　P103

### れんしゅう1

1 が　　　　2 は
3 ①が ②は　4 が
5 ①が ②は　6 ①が ②が

### れんしゅう2

1 a　　2 a
3 b　　4 b
5 b　　6 a

## まとめ問題（1課～5課）

P104～P105

### もんだい1

| 1 | 4 | | 2 | 1 | | 3 | 2 |
| --- | --- | --- | --- | --- | --- | --- | --- |
| 4 | 1 | | 5 | 2 | | 6 | 3 |

### もんだい2

1　4（3 1 <u>4</u> 2）
2　2（1 3 <u>2</u> 4）
3　3（4 2 <u>3</u> 1）

### もんだい3

| 1 | 2 | | 2 | 4 | | 3 | 3 |
| --- | --- | --- | --- | --- | --- | --- | --- |
| 4 | 1 | | | | | | |

## 6課 　　　　　　 P107

### れんしゅう1

1 の
2 こと
3 こと
4 ①の ②の
5 こと
6 の
7 の
8 の

### れんしゅう2

1 b 　　 2 a
3 b 　　 4 a
5 c 　　 6 c
7 a

## 7課 　　　　　　 P109

### れんしゅう1

1 立って
2 考えないで
3 入れて
4 しないで
5 はかないで
6 開けて
7 切って
8 歌って

### れんしゅう2

1 a 　　 2 a 　　 3 a
4 b 　　 5 a 　　 6 b
7 a 　　 8 a 　　 9 a
10 b 　　 11 ①a ②a
12 b

## 8課 　　　　　　 P111

### れんしゅう1

1 b 　　 2 a
3 b 　　 4 a
5 a 　　 6 b
7 b 　　 8 a
9 b 　　 10 b

### れんしゅう2

1 ①しめ ②出
2 ①けさ ②出
3 ①おち ②こわれ
4 ①こわし ②なおし
5 ①始まる ②起き
6 ①始め ②つづけ

## 9課 　　　　　　 P113

### れんしゅう1

1 読んで
2 行って
3 教えて
4 飲んで
5 買って
6 入れて

### れんしゅう2

1 c 　　 2 a
3 b 　　 4 a
5 b 　　 6 c
7 a 　　 8 a

## 10課 　　　　　　 P115

### れんしゅう1

1 にげて
2 あらって
3 なって
4 働いて
5 入れて
6 おりて

### れんしゅう2

1 c 　　 2 b
3 b 　　 4 b
5 c 　　 6 a
7 a 　　 8 c

## まとめ問題（1課〜10課）

P116〜P117

もんだい1

1 4 　 2 1 　 3 1
4 3 　 5 3 　 6 2

もんだい2

1 2（4 3 2 1）
2 1（3 4 1 2）
3 4（3 2 4 1）

もんだい3

1 4 　 2 3 　 3 2
4 1

## 11課 P119

### れんしゅう1

1 ここ
2 ①その　②ここ
3 ①この　②それ
4 あの
5 ①あそこ
　②この　③あの

### れんしゅう2

1 ①c ②a
2 a
3 ①b ②c
4 b

## 12課 P121

### れんしゅう1

1 b　　2 a
3 b　　4 b
5 a　　6 a
7 b　　8 ①b ②a
9 ①a ②b

### れんしゅう2

1 a　　2 b
3 a　　4 a
5 b

## 13課 P123

### れんしゅう1

1 a　　2 ①b ②a
3 b　　4 a
5 a　　6 b
7 b　　8 b
9 a　　10 a

### れんしゅう2

1 a　　2 b
3 a　　4 b
5 a　　6 b
7 b　　8 a
9 a　　10 b

## 14課 P125

### れんしゅう1

1 し
2 飲み
3 あま
4 むずかし
5 まじめ
6 運び
7 食べ
8 書き
9 とり
10 まちがえ

### れんしゅう2

1 b　　2 b
3 a　　4 b
5 b　　6 b
7 a　　8 b
9 b

## 15課 P127

### れんしゅう1

1 休み
2 魚つり
3 かたづけ
4 よさ
5 ①大きさ ②重さ
6 大切さ
7 通う
8 来た
9 じゆうに
10 長く

### れんしゅう2

1 b　　2 c
3 a　　4 c
5 c　　6 b
7 a

## まとめ問題(1課〜15課)

P128〜P129

**もんだい1**

| 1 | 1 | 2 | 2 | 3 | 3 |
| 4 | 3 | 5 | 2 | 6 | 4 |

**もんだい2**

1 1(3 2 1 4)
2 3(4 1 3 2)
3 3(1 4 3 2)

**もんだい3**

| 1 | 2 | 2 | 1 | 3 | 3 |
| 4 | 4 |

## 模擬試験

**もんだい1**

| | | | | | |
|---|---|---|---|---|---|
| 1 | 2 | 2 | 1 | 3 | 3 |
| 4 | 2 | 5 | 4 | 6 | 2 |
| 7 | 1 | 8 | 1 | 9 | 3 |
| 10 | 4 | 11 | 2 | 12 | 4 |
| 13 | 1 | 14 | 4 | 15 | 3 |

**もんだい2**

| | |
|---|---|
| 16 | 4（3 1 <u>4</u> 2） |
| 17 | 3（4 1 <u>3</u> 2） |
| 18 | 1（4 2 <u>1</u> 3） |
| 19 | 2（4 1 <u>2</u> 3） |
| 20 | 1（4 2 <u>1</u> 3） |

**もんだい3**

| | | | | | |
|---|---|---|---|---|---|
| 21 | 1 | 22 | 4 | 23 | 2 |
| 24 | 2 | 25 | 3 | | |

新完全マスター　語彙

日本語能力試験

語彙
N2

別冊

解答

スリーエーネットワーク

## 実力養成編　第1部　話題別に言葉を学ぼう

### 1章　人間｜1課　親類・友人・知人

#### II. 基本練習 ≫

**1** ①ひとりっこ(一人っ子)　②なかよし(仲良し)　③つきあい(付き合い)

④あつまり(集まり)　⑤なつかし(懐かし)　⑥こうはい(後輩)

⑦しごとなかま(仕事仲間)

**2** (1) 約束を―破る　コミュニケーションを―取る　丁寧な言葉遣いで―話す

(2) 親孝行を―する　子供のころが―懐かしい　先生に―お辞儀をする

有名な人と―握手する

**3** (1) ①祖先　②夫妻　③目上　　(2) ①まるで　②たとえ　③長年

**4** (1) 息子さん　　(2) 友達

**5** (1) 遣い　　(2) 替えて

#### III. 実践練習 ≫

1. |1| 2　　|2| 3

2. |1| 2　　|2| 3

3. |1| 2　　|2| 4

4. |1| 4*　　|2| 3*

　　*|1|「親しい」は「(知人・友人として)仲がよい」という意味で、3のように家族や夫婦の仲がよい場合には使わない。1は「近い」や「似ている」、2は「詳しい」などが適切。

　　*|2|「お辞儀」は頭を下げるあいさつのこと。1は「お礼」、2は「謝罪」などが適切。

### 1章　人間｜2課　人の性格・特徴

#### II. 基本練習 ≫

**1** ①ユーモア　②しゃれ　③しょうきょくてき(消極的)　④しんちょう(慎重)　⑤のんびり

⑥ようりょう(要領)　⑦あきる(飽きる)　⑧ちょうしょ(長所)

**2** (1) 頼りに―なる　勘が―鈍い　気が―荒い

(2) ユーモアが―ある　要領が―悪い　はきはきと―話す　友人を―裏切る

**3** (1) ①長所　②見かけ　③心理　　(2) ①わざと　②めっきり　③一切

**4** (1) 明るい　　(2) 静か

**5** (1) っぽく　　(2) 不

#### III. 実践練習 ≫

1. |1| 1　　|2| 1

2. |1| 3　　|2| 4

3. 　□1 3　　□2 2

4. 　□1 1*　　□2 4*

*□1「裏切る」は、人との約束を破ったり期待通りにしなかったりして、信頼関係を損なうこと。2のように「予報と異なる結果になる」という意味では使わない。3は「振り返る」、4は「対立する」などが適切。

*□2「頼もしい」は、「困ったときなどに助けを信じて頼ることができる」という意味で、2のように「うそがないから信じられる」という意味では使わない。また、「将来が頼もしい」のように「今後の活躍が期待できる」という意味もあるが、3のように、単に「いい結果を期待する」という場合は「楽しみだ」を使う。

## 1章 人間　3課　人に対する感情・行動

### II. 基本練習 ≫

**1** ①あこがれて　②ごかい（誤解）　③さける（避ける）　④きらう（嫌う）

　⑤みかけて（見かけて）　⑥うらやまし　⑦もうしわけない（申し訳ない）

　⑧とけて（解けて）　⑨なかなおり（仲直り）

**2** (1) うわさを―広める　恩を―感じる　恋人を―振る

　(2) 敬意を―払う　子供を―怒鳴る　愛が―冷める　誤解が―解ける

**3** (1) ①理想　②皮肉　③態度　　(2) ①思い切って　②ようやく　③まさに

**4** (1) がっかりした　　(2) 人気がある

**5** (1) がる　　(2) 的

### III. 実践練習 ≫

1. 　□1 3　　□2 4

2. 　□1 4　　□2 1

3. 　□1 1　　□2 4

4. 　□1 4*　　□2 2*

　*□1「みっともない」は、「姿や服装などが、人に見られたり聞かれたりしたくないほど恥ずかしい」様子を表す。1のような場合は「見えにくい」、2は「恥ずかしい」や「照れくさい」、3は「恥ずかしい」などが適切。

　*□2「見かける」は、「機会があって何かに目をとめる」という意味。1のように意識的に見る場合には使わない。3は「見破る」、4は「見つける」などが適切。

## 2章 生活　1課　食生活

### II. 基本練習 ≫

**1** ①さっぱり　②かおり（香り）　③しょくよく（食欲）　④ぎょうれつ（行列）　⑤しつこい

　⑥もたれる　⑦すきずき（好き好き）

**2** (1) 行列に―並ぶ　あめを―しゃぶる　お酒を―つぐ

　(2) うちに―帰す　お酒に―酔う　酔いが―さめる　食事を―味わう

③ (1) ①頭痛　②食欲　③原産　　(2) ①しきりに　②改めて　③いくら

④ (1) ついで　　(2) なくす

⑤ (1) 産　　(2) 会

## Ⅲ．実践練習 ≫

1. [1] 2　　[2] 4

2. [1] 3　　[2] 4

3. [1] 4　　[2] 3

4. [1] 4*　　[2] 1*

*[1]「含む」は、「口の中に入れる」という意味以外に、「そのものの一部として中に持つ」という意味がある。1、2のように、「内部に入れることができる」という意味では使わない。3は「まとめる」などが適切。

*[2]「追加」は、既にあるものに、後から付け足すこと。2は「余分」や「余計」、3は「添える」、4は「増える」などが適切。

---

**2章　生活　2課　家事**

## Ⅱ．基本練習 ≫

① ①ぬって（縫って）　②あんで（編んで）　③ふいて　④ぴかぴか　⑤あげた（揚げた）
⑥こんだて（献立）　⑦たく（炊く）　⑧ちらかって（散らかって）

② (1) 肉を―蒸す　かびが―生える　しわを―伸ばす
(2) 野菜を―ゆでる　魚が―腐る　ほうきで―掃く　ミシンで―縫う

③ (1) ①献立　②倉庫　③衣服　　(2) ①せめて　②かえって　③あらかじめ

④ (1) 抱いて　　(2) 乾かした

⑤ (1) 立て　　(2) 模様

## Ⅲ．実践練習 ≫

1. [1] 4　　[2] 1

2. [1] 3　　[2] 1

3. [1] 3　　[2] 2

4. [1] 3*　　[2] 2*

*[1]「どける」は「場所を空けるためにものをほかの場所へ移す」という意味の他動詞。2のような場合は自動詞の「どく」を使う。1は「払う」や「取る」、4は「脱ぐ」などが適切。

*[2]「整理」は、「乱れているものをきちんとした状態にする」という意味。「整理する」で他動詞になる。3は「整備」、4は「手配」などが適切。

## Ⅱ. 基本練習 ≫

**1** ①こしかけ（腰掛け）　②たちあがる（立ち上がる）　③*しんさつ（診察）／しんだん（診断）

④きゅうよう（休養）　⑤たまらない　⑥すいみんぶそく（睡眠不足）　⑦ふきそく（不規則）

⑧ちょうし（調子）

*③「診察」は「病状を調べること」、「診断」は「病状を判断すること」にそれぞれ重点がある。

**2** (1) せきが―出る　患者を―診る　髪を―とかす

(2) 毛が―抜ける　ひげを―そる　肌が―荒れる　休養を―取る

**3** (1) ①看病　②美容　③症状　　(2) ①今に　②一応　③当分

**4** (1) 座って　　(2) 座って

**5** (1) 不足　　(2) 高

## Ⅲ. 実践練習 ≫

1. ①2　　②1

2. ①3　　②3

3. ①2　　②2

4. ①4*　　②1*

＊①「伝染」は、病気の原因となる物質が体の中に入って病気になること。3のように、病気になる人間の立場から言う場合は「感染」を使う。

＊②「効く」は、「効果が表れる」、「十分に本来の機能を発揮する」という意味。「エアコンが効く」「わさびが効く」のように使う。3のように、「法律や規則などが効力を持つ」という意味では「有効」を使う。

## 3章 趣味・娯楽

## Ⅱ. 基本練習 ≫

**1** ①おうえん（応援）　②ベテラン　③いんたい（引退）　④しばい（芝居）

⑤やくしゃ（役者）　⑥ぶたい（舞台）　⑦セリフ　⑧あらすじ（粗筋）

**2** (1) 敵を―破る　勝敗が―決まる　試合を―解説する

(2) 味方を―守る　敵に―敗れる　ルールに―違反する　日本語に―訳す

**3** (1) ①書籍　②文芸　③裁縫　　(2) ①実に　②まさに　③わずかに

**4** (1) トレーニング　　(2) ステージ

**5** (1) 的　　(2) 訳

## Ⅲ. 実践練習 ≫

1. ①2　　②1

2. ①2　　②2

3. ①1　②1

4. ①4*　②1*

*①「詰める」は、「容器や穴などにものをいっぱいに入れる」という意味の他動詞。2は「書き入れる」「記入する」など、3は「つぶす」などが適切。

*②「引退」は、地位・職業などから離れること。政治家やスポーツ選手が現役を辞めるときによく使われる。2のように「その大会に出ない」という場合は、「欠場」、4のように、学校を卒業する前に辞める場合は「退学」を使う。

## 4章　旅行　1課　旅行・交通

### Ⅱ. 基本練習 ≫

1 ①たいざい（滞在）　②でむかえて（出迎えて）　③にってい（日程）　④おうふく（往復）

⑤まちあわせる（待ち合わせる）　⑥パスポート　⑦めんぜいてん（免税店）

2 (1) パスポートを—取る　道に—迷う　友人を—見送る

(2) 東京を—発つ　ホテルに—滞在する　東京駅で—下車する　信号を—無視する

3 (1) ①経由　②日帰り　③税関　(2) ①何とか　②既に　③中でも

4 (1) 通って　(2) 田舎

5 (1) 機関　(2) 沿い

### Ⅲ. 実践練習 ≫

1. ①2　②4

2. ①4　②1

3. ①3　②2

4. ①4*　②2*

*①「無視」は、単に「見ない」という意味ではなく、あるものの存在を認めず、ないように扱うこと。3のように「見ないようにする」という場合は「(目を)そむける・そらす」を使う。

*②「横断」には「道を横断する」のように「横切る」という意味もあるが、「大陸を横断する」のように「横方向・東西方向に通る」という意味もある。4のように南北方向に通る場合は「横断」ではなく「縦断」を使う。

## 4章　旅行　2課　自然

### Ⅱ. 基本練習 ≫

1 ①ぼんち（盆地）　②むしあつい（蒸し暑い）　③こごえる（凍える）　④みおろす（見下ろす）

⑤ながめ（眺め）　⑥すいへいせん（水平線）　⑦ふもと　⑧こうよう（紅葉）

2 (1) なだらかな—丘　温暖な—気候　まぶしい—日差し

(2) 果実が—実る　あらしが—吹く　汗を—かく　地下水が—わく

3 (1) ①盆地　②砂漠　③地盤　(2) ①一段と　②ぼんやりと　③はるか

4 (1) 終わった　　(2) 少し暗く

5 (1) 真っ　　(2) 初

## Ⅲ. 実践練習 ≫

1. □1 1　　□2 2

2. □1 2　　□2 4

3. □1 4　　□2 1

4. □1 3*　　□2 1*

*□1「凍える」は「寒くて体が動かなくなる」という意味。1、2、4は「凍る」が適切。

*□2「眺める」は「全体を広く見る」という意味の他動詞で、風景を見るときによく使う。2のように、「偶然見る／目に入る」という意味では「見かける」を使う。

---

5章　教育と仕事　1課　学校

## Ⅱ. 基本練習 ≫

1 ①がっか(学科)　②たんとう(担当)　③せいせき(成績)　④しんがく(進学)

　⑤じっけん(実験)　⑥まとめた　⑦ろんぶん(論文)

2 (1) 試験を—採点する　文献を—引用する　単位を—取る

　(2) 意見を—まとめる　結論が—出る　学力が—上がる　問いに—答える

3 (1) ①実習　②証明　③自習　　(2) ①ひとまず　②めったに　③必死に

4 (1) 担当して　　(2) 覚える

5 (1) 書　　(2) 目

## Ⅲ. 実践練習 ≫

1. □1 1　　□2 2

2. □1 3　　□2 2

3. □1 2　　□2 3

4. □1 4*　　□2 1*

*□1「問い」は「質問・問題」と意味が似ているが、2のように「解決すべきこと」という意味はない。この場合は「問題」を使う。また、1のような「正しいかどうかわからないこと」という意味では「疑問」を使う。3のように「する」をつけて動詞にすることはできない。

*□2「評価」は、ものごとや人について「価値を判断して決める」という意味。2のような使い方はできないが、「～という評価を受けている・得ている」などであれば使える。また、2の場合「評判」ならばそのままでも使える。3は「見直す」を使う。4は、「評価されている」であれば使える。または、「評判」を使う。

## II. 基本練習 ≫

**1** ①にゅうしゃ（入社）　②しゅうしょくかつどう（就職活動）

③いちりゅうきぎょう（一流企業）　④げっきゅう（月給）　⑤けんしゅう（研修）

⑥しほんきん（資本金）　⑦けいえい（経営）

**2** (1) お金が―もうかる　利害が―対立する　仕事を―怠（なま）ける

(2) 夢を―追いかける　研修を―受ける　会社を―経営する　いい案を―思いつく

**3** (1) ①組織（そしき）　②利害　③改善　　(2) ①万一　②必ずしも　③せっせと

**4** (1) 持って　　(2) なった

**5** (1) 士（し）　　(2) 引き

## III. 実践練習 ≫

1. ☐1 3　　☐2 1

2. ☐1 3　　☐2 2

3. ☐1 2　　☐2 3

4. ☐1 4*　　☐2 4*

＊☐1「損害（そんがい）」は、「利益を失う（りえきをうしな）」という意味（いみ）だが、特（とく）に事故（じこ）や災害（さいがい）などによる金銭面（きんせんめん）の不利益（ふりえき）を表（あらわ）すことが多（おお）い。

1、3のように「損害（そんがい）する」「損害（そんがい）をする」は使わない。

＊☐2「あてはまる」は、「（あるものごとがほかのものごとに）ちょうど合（あ）う」という意味（いみ）。ただし、1のようなものの大（おお）きさや、2、3のような金額（きんがく）に合（あ）う（いみ）という意味（いみ）では使（つか）わない。

## 6章 メディア　1課　報道・広告

## II. 基本練習 ≫

**1** ①メディア　②ほうそう（放送）　③ながれる（流れる）・ながされる（流される）

④えいぞう（映像）　⑤きしゃ（記者）　⑥しゅざい（取材）　⑦ きじ（記事）

⑧くわしく（詳しく）　⑨せいかく（正確）　⑩メディア

**2** (1) 朝刊を―取る　音声が―流れる　話題に―上る

(2) 事件を―取材する　広告費が―掛（か）かる　インタビューを―受ける

注目を―浴びる

**3** (1) ①大まか　②でたらめ　③衝撃的（しょうげきてき）　　(2) ①報道　②制作　③発行

**4** (1) タイトル　　(2) ばからしい

**5** (1) 不　　(2) 人

## III. 実践練習 ≫

1. ☐1 3　　☐2 1

2. ①3　②2

3. ①1　②2

4. ①1*　②1*

*①「興味深い」は、「知的な面白さによって気持ちが引き付けられる」という意味で、2の「大笑いする」とは合わない。4は「見ている人の興味を引き付ける」や、「見ている人が興味深く感じる」であれば正しい文になる。

*②「宣伝」とは、商業的な目的などで広く知らせること。2にはそのような目的がないので、「伝える」「伝達する」などが適切。

6章 メディア 2課 コンピューター

## II. 基本練習 ≫

**1** ①メール　②てんぷ(添付)　③ファイル　④モニター　⑤ソフト　⑥きどう(起動)

⑦さいきどう(再起動)　⑧そうさ(操作)　⑨ウイルス　⑩ウイルス　⑪ソフト

⑫インストール　⑬しゅうり(修理)　⑭しゅうり(修理)　⑮ウイルス　⑯ソフト

⑰インストール

**2** (1) メールを―送受信する　プログラムを―起動する　モニターを―修理する

**3** (1) ①接続　②削除　③検索　(2) ①今や　②若干　③一瞬

**4** (1) 印刷　(2) 字の形

**5** (1) オンライン　(2) 再

## III. 実践練習 ≫

1. ①1　②2

2. ①3　②2

3. ①1　②1

4. ①2*　②4*

*①「設定」は、ある目的のために何かを作ったり決めたりすること。

*②「消去」は、ある事柄を考慮の対象から外すことで、情報やデータなどを消す場合によく使う。「汚れ」には「取り除く」、「予約」には「取り消す」などが適切。

7章 社会 1課 行事

## II. 基本練習 ≫

**1** ①ふさわしい　②こうさい(交際)　③しょうだく(承諾)　④せっとく(説得)

⑤せいだいな(盛大な)　⑥しんせき(親戚)　⑦のびのび(伸び伸び)

**2** (1) 家庭を―築く　法事を―行う　役割を―果たす

(2) 交際を―申し込む　ストレスを―ためる　先生の死を―惜しむ　手続きを―済ませる

3 (1) ①盛大　②豪華　③華やか　　(2) ①承諾　②解消　③成長

4 (1) 頑張って　　(2) 悲しんで

5 (1) 込んだ　　(2) 的

## Ⅲ. 実践練習 ≫

1. [1] 3　　[2] 2

2. [1] 1　　[2] 1

3. [1] 2　　[2] 3

4. [1] 4*　　[2] 2*

　＊[1]この場合の「ためる」は、「具体的なものを集めたり、蓄えたりする」という意味を表す。1は「させる」、2は「預ける」、3は「埋める」が適切。

　＊[2]「打ち合わせ」は、「主に仕事やイベントなどの目的のために、前もって相談しておく」という意味。1は「相談」、3は「打ち上げ」、4は「申し込み」などが適切。

---

**7章　社会　2課　事件・事故・災害**

## Ⅱ. 基本練習 ≫

1 ①ねらった　②あう（遭う）　③うばった（奪った）　④さぎ（詐欺）　⑤ゆくえ（行方）
　⑥さいはつぼうし（再発防止）

2 (1) 大雨洪水警報が―出される　火山が―噴火する　土砂崩れが―起きる
　(2) 災害に―備える　犯罪防止に―努める　罪を―犯す　犯罪対策を―強化する

3 (1) ①そう　②直ちに　③まさか　　(2) ①被害　②確保　③保護

4 (1) 調べた　　(2) 食べ物

5 (1) 取り　　(2) 事故

## Ⅲ. 実践練習 ≫

1. [1] 4　　[2] 3

2. [1] 1　　[2] 1

3. [1] 3　　[2] 2

4. [1] 2*　　[2] 4*

　＊[1]「行方」は「行った先」、「進んでいく先」という意味。1は行く方法や道を指しているので「行き方」、3は「旅行」という目的を持って行くので「行き先」、4は「息子の婚約者にはまだ会ったことがなく、彼女がどんな人なのかよく知らない」となる。

　＊[2]「差しかかる」は、「ちょうどその場所にたどり着く」という意味。

**Ⅱ. 基本練習 ≫**

1 ①ふけいき（不景気）　②きんゆう（金融）　③けいざい（経済）　④かいふく（回復）

　　⑤しじょう（市場）　⑥おさめられる（納められる）　⑦ぜいきん（税金）

　　⑧しゅうにゅう（収入）　⑨ふたん（負担）　⑩しいられる（強いられる）

2 (1) 物価が—上昇する　利息が—付く　技術が—向上する

　　(2) コストを—削減する　現金を—引き出す　土を—耕す　部品を—製作する

3 (1) ①納税（のうぜい）　②ローン　③資産　(2) ①決して　②いったん　③主に

4 (1) 運ぶ　(2) 下ろした

5 (1) 先　(2) 的

**Ⅲ. 実践練習 ≫**

1. 1 1　2 3

2. 1 2　2 4

3. 1 3　2 4

4. 1 1*　2 4*

　＊1「製造（せいぞう）」は原料（げんりょう）に手（て）を加（くわ）えて製品（せいひん）にすることで、主（おも）に食品（しょくひん）、薬（くすり）、工業製品（こうぎょうせいひん）などに対（たい）して使（つか）う。2には「作（つく）る」、3には「制作する・作る」、4には「栽培する・作る・育てる」などが適切（てきせつ）。

　＊2「取引（とりひき）」は商業的（しょうぎょうてき）なやり取（と）りを表（あらわ）す。

**Ⅱ. 基本練習 ≫**

1 ①こっか（国家）　②とういつ（統一）　③ぎろん（議論）　④せいき（世紀）　⑤せいど（制度）

　　⑥けんぽう（憲法）　⑦さだめられて（定められて）　⑧しょくみんち（植民地）

　　⑨しはい（支配）　⑩きぞく（貴族）　⑪けんりょく（権力）

2 (1) 文化が—発展する　権力を—握（にぎ）る　援助活動（えんじょかつどう）を—行（おこな）う

　　(2) 国が—滅（ほろ）びる　英雄（えいゆう）が—現れる　法律が—改正（かいせい）される　革命（かくめい）が—起きる

3 (1) ①会談　②演説　③証言（しょうげん）　(2) ①どうせ　②ほぼ　③一切

4 (1) 再検討（さいけんとう）　(2) 話し合い

5 (1) 省　(2) 案

**Ⅲ. 実践練習 ≫**

1. 1 1　2 4

2. 1 4　2 1

3. 1 2　2 2

4. ① 4*　② 2*

*① 「合意」は、お互いの意思が一致すること。1は「賛成」、2は「同意」、3は「一致」などが適切。

*② 「援助」は、助けるためにものやお金を与えること。1は「保護」、3は「補佐」、4は「救助」などが適切。

## 8章 科学　1課　自然

### II. 基本練習 ≫

**1** ①ちきゅうおんだんか(地球温暖化)　②へんどう(変動)

③かんきょうほご(環境保護)　④リサイクル　⑤ペットボトル

⑥ぎゅうにゅうパック(牛乳パック)　⑦びん(瓶)　⑧かいしゅう(回収)

⑨はいしゅつりょう(排出量)　⑩せいげん(制限)　⑪げんじょう(現状)

**2** (1) 豚を—飼育する　木を—植える　つぼみが—膨らむ

(2) えさを—やる　危害を—加える　問題を—解決する　獲物を—襲う

**3** (1) ①騒音　②公害　③整備　(2) ①徐々に　②思いのほか　③ついに

**4** (1) グループ　(2) 生まれて増える

**5** (1) 古　(2) 取り

### III. 実践練習 ≫

1. ① 4　② 4

2. ① 2　② 2

3. ① 2　② 1

4. ① 3*　② 1*

*① 「及ぶ」は、ある程度にまで届くこと。1は「伸びる」、2は「実現する」、4は対象が「味」なので「染みる」などを使う。

*② 「品種」は、品物の種類のほかに動物や植物の種類を表す。2は対象が「車」なので「車種」、4はスポーツなので「種目」を使う。3は対象が人なので「品種」は使わない。「品」などが適切。

## 8章 科学　2課　科学・技術

### II. 基本練習 ≫

**1** ①くみかえ(組み換え)　②せいぶつ(生物)　③じんこうてき(人工的)

④しょうひしゃ(消費者)　⑤さくもつ(作物)　⑥せいさんりょう(生産量)

⑦くみかえ(組み換え)　⑧あんぜん(安全)

**2** (1) 長い年月を—費やす　ウイルスに—感染する　効率が—上がる

(2) 手間が—掛かる　子供へ—遺伝する　ニーズに—合う　標本を—収集する

**3** (1) ①普及　②交換　③導入　(2) ①めざましく　②もはや　③次々に

**4** (1) 強くて　(2) 使って

5 (1) 性　　(2) 的

## Ⅲ. 実践練習 ≫

1. ⬜1 1　　⬜2 3

2. ⬜1 1　　⬜2 3

3. ⬜1 1　　⬜2 2

4. ⬜1 3*　　⬜2 2*

　*⬜1「収集」はものや情報などを集めること。1は「収容」、2は「集合」、4は「収穫」を使う。

　*⬜2「生産」は主に農作物や製品などを作り出すこと。1は「出産」、3は「作成」、4は「制作」を使う。

---

## 9章　抽象概念　1課　数量を表す言葉

## Ⅱ. 基本練習 ≫

⬛1 ①ほうふ（豊富）　②とぼしい（乏しい）　③くわわる（加わる）　④こうど（高度）

　⑤おおいに（大いに）

⬛2 (1) 規模を―拡大する　経験を―積む　しょう油を―足す

　(2) 需要が―増大する　メンバーが―加わる　気温が四十度に―達する

　　　税金が―引かれる

⬛3 (1) ①およそ　②ずらりと　③たっぷり　　(2) ①減少　②低下　③勘定

⬛4 (1) たまに　　(2) 少し

⬛5 (1) 疲れ　　(2) 大

## Ⅲ. 実践練習 ≫

1. ⬜1 3　　⬜2 4

2. ⬜1 2　　⬜2 1

3. ⬜1 4　　⬜2 1

4. ⬜1 3*　　⬜2 1*

　*⬜1「軽減」は「負担」などを軽くすること。

　*⬜2「ぎっしり」は、それ以上収まらないほどいっぱいである状態を表し、「詰まる、入る」などの動詞とよく使う。

---

## 9章　抽象概念　2課　時間・空間の言葉

## Ⅱ. 基本練習 ≫

⬛1 ①かつて　②そうちょう（早朝）　③ひごろ（日ごろ）　④むかって（向かって）

　⑤そのうち　⑥こんご（今後）

⬛2 (1) 配置を―変える　試合を―中断する　経験を―生かす

　(2) 元の位置に―戻す　チャンスを―逃す　広い範囲に―渡る　従来の考え方を―見直す

④ (1) 今まで同様　　(2) 部分的に

⑤ (1) 中　　(2) 以来

## III. 実践練習 ≫

1.　①2　　②4

2.　①1　　②3

3.　①4　　②2

4.　①4*　　②3*

　　*①「月日」は「年月」と同様、ある程度まとまった長さの時間の経過を表し、「月日」が「たつ」「経過する」「流れる」「過ぎる」などの語とよく使う。1は「今日の月日は」を「今日は」、2は「月日」を「日時」、3は「生まれた月日」を「生年月日」などにするとよい。

　　*②「日中」は日が出ている明るい時間帯のこと。1は「一日中」、2「毎日」、4「昼夜」などが適切。

# 第2部　性質別に言葉を学ぼう

## 1章　意味がたくさんある言葉 ┃ 1課　動詞①

## I. 言葉と例文 ≫

① 全部「つかむ」ことができる。

　　*「2. 言葉」「つかむ」参照。

## II. 基本練習 ≫

① (1) 鉛筆・骨・岩・歯・木・氷―を削る　　牛乳・レモン・ジュース―を搾る

　　体調・バランス・姿勢・リズム―を崩す

　　カロリー・費用・甘さ・痛み―を抑える

　(2) 規則・時間・常識・固定観念―に縛られる

　　親・先生・上司・命令・指示―に逆らう　　胸・心・記憶―に刻まれる

　　試合・将来・地震・万一―に備える

　(3) 敵・危険・締め切り・期日―が迫る　　時計・調子・リズム・予定―が狂う

　　夢・才能・可能性・チャンス―をつぶす　　愛情・エネルギー・全力―を注ぐ

　(4) 予算・食費・睡眠時間―を削る　　範囲・焦点・話題・人数・候補―を絞る

　　予定・計画・計算・順番―が狂う　　勝利・成功・夢・チャンス―をつかむ

② (1) ①a傾いて　b傾き　②a逆らって・逆らい　b逆らう　③a注いで　b注いで

　(2) ①a押さえた　b押さえて　②a崩した　b崩して・崩し

　　③a削って　b削って・削り　④a狂って　b狂って

(3) ①a 縛られて　b 縛られ　②a つかんで　b つかむ

　　③a 訴えて　b 訴えた　④a つぶして　b つぶす

(4) ①a 備えて・備え　b 備えて　②a 刻まれて　b 刻み

　　③a 絞って・絞り　b 絞って・絞り　④a 迫って　b 迫られて

## Ⅲ. 実践練習 ≫

1. ☐1 2　☐2 4　☐3 1　☐4 4　☐5 1　☐6 3　☐7 3　☐8 2　☐9 2
　 ☐10 4

2. ☐1 3　☐2 2　☐3 3　☐4 2　☐5 2

3. ☐1 1*　☐2 4*　☐3 1*　☐4 1*　☐5 2*

*☐1 「逆らう」は、①「ものごとの自然な流れと反対の方向に進む」、②「上の人の命令や指示に反対してその通りにしない」という意味がある。1は②の意味。「川の流れに逆らう」「親に逆らう」「上司の命令に逆らう」のように使う。2は「傾く」、3は「訴える」、4は「反対に」が適切。

*☐2 「刻む」は、①「野菜などを包丁で細かく切る」、②「木や石を彫る」、③「長い間、歴史・伝統・時などを重ねていく」、④「心や記憶に強く残す」という意味がある。4は②の意味。1は「削る」、2は「つかむ」、3は「抑える」などが適切。

*☐3 「備える」は、①「重要なときのために準備する」、②「ものが機能や設備などを持つ」、③「人が能力や知識を持つ」という意味がある。1は①の意味。③は能力や知識のように何かに役立つようなものの場合に使うので、4の「頭痛を備える」は間違い。2は「押さえる」、3は「近づく」「迫る」など、4は「訴える」が適切。

*☐4 「縛る」は、①「ひもなどでものが離れないように結ぶ」、②「規則などで自由に行動できないようにする」という意味がある。1は②の意味。「もの・人・人の行動・考え方」について使い、病気の症状には使わないので、4は間違い。2は「絞る」、3は「迫る」、4は「抑える」が適切。

*☐5 「つかむ」は、①「ものや人を動かしたり、動きを止めたりするために手でしっかり持つ」、②「チャンスや情報などを手に入れる」、③「ものごとの重要な点を理解する」、④「人の気持ちを自分の方に向けて夢中にさせる」という意味がある。2は②の意味。1は「五本の指を内側に曲げてものを持つ」という動作を表すので、4は間違い。④は「彼の言葉が読者の心をつかむ」のように使うので、3は間違い。1は「備える」、3は「染みる」、4は「押さえる」が適切。

---

**1章　意味がたくさんある言葉**　**2課　動詞②**

## Ⅰ. 言葉と例文 ≫

**1** ぶつかる

　　*「2. 言葉」「ぶつかる」参照。

## Ⅱ. 基本練習 ≫

**1** (1) 経験・トレーニング・練習・訓練—を積む　　水・お湯・油・泥—がはねる

　　　 ひも・縄・帯・包み・荷物—を解く　　ハンドル・マイク・ペン・包丁・手—を握る

おなか・財布・ポケット・パン―が膨らむ

(2) 道路・入り口・穴・血管―がふさがる　　なぞ・問題・パズル・疑問―を解く

夢・想像・期待・イメージ・アイデア―が膨らむ

誤解・事故・混乱・疑い―を招く　　関心・信頼・期待・思い・好意―を寄せる

特徴・状況・変化・意味―をとらえる

(3) 財布・かぎ・権力―を握る　　渋滞・わな・深み―にはまる

誤解・緊張・怒り―を解く　　赤字・借金・予算―が膨らむ

席・部屋・電話・予定・手―がふさがる

苦情・要望・相談・感想・意見・質問―を寄せる

**2** (1) ①a寄せて　b寄せられて　c寄せて　②a膨らんで　b膨らんで　c膨らんで

③aにらんで　bにらんだ　④a積んで　b積む

(2) ①aはねて・はね　bはねて　cはねて・はね　②a振って　b振られて　c振って

③a解いて　b解いて　c解き　④aとらえた　bとらえて・とらえ

⑤aはまって　bはまら

(3) ①a触れる　b触れた　②aぶつかる　bぶつかって

③aふさがって　bふさがって　④a握る・握った　b握って

## III. 実践練習 ≫

1. 1 4　　2 1　　3 4　　4 4　　5 2　　6 3　　7 4　　8 2　　9 1
10 4

2. 1 2　　2 2　　3 2　　4 4　　5 4

3. 1 4*　　2 2*　　3 3*　　4 3*　　5 4*

*1 「握る」は、①「手の五本の指を内側に曲げてものをしっかり持つ」、②「ものを持って何かをする」、③「ものごとを自分の思うとおりにできる何か（権力・事件のかぎなど）を持つ」、④「他人の秘密や弱みを知る」という意味がある。4は③の意味。1のように「特徴を知る」という意味では使わない。また3は「五本の指を内側に曲げて持つ」という動作ではないので間違い。1は「とらえる」、2は「捕らえられる」、3は「触れる」「触る」などが適切。

*2 「積む」は、①「ものを上に高く載せる」、②「車などにものを載せる」、③「繰り返し行って経験などを増やす」という意味がある。2は③の意味。「人を車に乗せる」という意味はないので3は間違い。1は「寄せる」「する」、3は「乗せる」、4は「振る」などが適切。

*3 「ぶつかる」は、①「ほかの人やものに強く当たる」、②「道が途中でほかの道に出る」、③「二つ以上のものごとが同じときに重なる」、④「ものごとを進める途中で問題などが出てきて進むのが難しくなる」、⑤「ほかの人との意見が一つになるべき状況で、意見が違ってしまう」という意味がある。3は③の意味。①は、固いものと固いものが当たる場合に使うので、2は間違い。1は「入る」、2は「はねる」、4は「ふさがる」などが適切。

* $\boxed{4}$「とく」は、①「結んだひもやまとめた荷物などを元に戻す」、②「クイズや問題の答えを出す」、③「人の疑いや誤解などを消す」、④「卵や絵の具などを混ぜて液体の状態にする」という意味がある。3は②の意味。2の「問題」は試験などの問題ではなく「進むときに邪魔になるもの」という意味で、その場合に「とく」は使えない。1は「招く」「される」など、2は「ぶつかる」、4は「跳ぶ」「跳ねる」が適切。

* $\boxed{5}$「にらむ」は、①「怖い目で見る」、②「注意してよく見る」、③「予想する」という意味がある。4は①の意味。1は「うれしそうに」とあるので間違い。1は「見る」、2は「膨らむ」、3は「つなぐ」などが適切。

## 1章　意味がたくさんある言葉　3課　形容詞・名詞

### Ⅰ. 言葉と例文 》

$\boxed{1}$ 幅

### Ⅱ. 基本練習 》

$\boxed{1}$ (1) 純粋な―気持ち・人・恋愛　　粗末な―服装・食事・ベッド

　　　鋭い―意見・質問・批判

(2) くどい―色・味　　鋭い―角・つめ・歯

　　　純粋な―温泉・物質　　穏やかな―天気・生活・海

(3) 反応・動き・動作―が鈍い　　音・声・車・子供―がやかましい

　　　息・呼吸・波―が荒い　　話・説明・文章―がくどい

$\boxed{2}$ (1) ①a険しく　b険しい　②a粗くて　b粗い　③a恐ろしい　b恐ろしく

(2) ①aくどい　bくどい　②a鈍く　b鈍く　c鈍い　d鈍い

　　　③a荒い　b荒い　④a鋭い　b鋭い　c鋭く　d鋭い

(3) ①a粗末な　b粗末に　②a純粋な　b純粋な

　　　③a穏やかな　b穏やかな　④a勝手な　b勝手な・勝手に　c勝手

$\boxed{3}$ (1) 形　(2) 幅　(3) 波　(4) 型　(5) 文句　(6) 陰　(7) 幅　(8) 裏

(9) 波　(10) 影

### Ⅲ. 実践練習 》

1. $\boxed{1}$ 1　$\boxed{2}$ 4　$\boxed{3}$ 2　$\boxed{4}$ 2　$\boxed{5}$ 4　$\boxed{6}$ 4　$\boxed{7}$ 4　$\boxed{8}$ 1　$\boxed{9}$ 1
$\boxed{10}$ 4

2. $\boxed{1}$ 4　$\boxed{2}$ 3　$\boxed{3}$ 2　$\boxed{4}$ 1　$\boxed{5}$ 3

3. $\boxed{1}$ 2*　$\boxed{2}$ 2*　$\boxed{3}$ 2*　$\boxed{4}$ 4*　$\boxed{5}$ 3*

* $\boxed{1}$「穏やか」は、①「海や生活などが静かで落ち着いている」、②「あまり怒ったり興奮したりしない性格をしている」という意味で、2は①の意味。「山道」、「カーブ」、「規則」などには使わない。1、3、4は「緩やか」が適切。

* $\boxed{2}$「型」は、①「同じ形のものを作るときに元にするもの」、②「共通の特徴によって分けた種類」、③「常識や伝統、規則などで決まったやり方」という意味がある。2は③の意味。3のようにものの外見を言う場合

17

は使わない。また、4のように「中身や内容がない様子」を言う場合にも使わない。1、3、4は「形」が適切。

*③「あらい」は、①「呼吸や波などの動きが激しくて大きい」、②「使い方が乱暴である」、③「切り方や網の目が細かくない」、④「作り方ややり方が丁寧ではない」という意味がある。2は④の意味。1は「荒れてしまった」、3は「荒れる」、4は「粗末」などが適切。

*④「険しい」は、①「山や坂が急である」、②「言葉や顔が怖い感じである」という意味がある。4は②の意味。②は「顔が険しい」「険しい顔」のように使うが、「怖い人」という意味で「険しい人」という使い方はしないので、2は間違い。1と2は「怪しい」、3は「厳しい」が適切。

*⑤「幅」は、①「横の端から端までの距離」、②「対象となる範囲」、③「二つのものの間の数や量の差」という意味がある。3は③の意味。2のように「上がったり下がったりよく変化する」という意味では使わない。また、「道の横の端から端までの距離」という意味には使えるが、4は道の横の長さではない。1は「間」、2は「波」、4は「距離」などが適切。

## 2章　意味が似ている言葉　1課　副詞・形容詞

### Ⅰ. 言葉と例文 ≫

■ 「いきなり」「突然」など

### Ⅱ. 基本練習 ≫

■ (1) 常に―いつも　にわかに―急に　たまに―まれに　既に―もう

(2) 一段と―更に　まったく―全然　順調に―スムーズに　大いに―とても　ほぼ―大体

(3) そっくりな―似ている　危うい―危険な　騒がしい―うるさい

　　思いがけない―意外な　勝手な―わがままな

(4) 間もなく―そろそろ　うっかり―つい　強引に―無理に　安易に―簡単に

　　若干―少し

② (1) ①ほうぼう　②相当　③いずれ　④常に

(2) ①相互に　②幾分　③再三　④案の定

(3) ①そっくり　②シャイ　③厄介　④まれ

(4) ①厚かましい　②みっともない　③やかましい　④思いがけない

(5) ①間もなく　②安易に　③すべて　④相次いで

③ (1)* ①にわかに・急に　②およそ・約　③たびたび・よく

　　④あれこれ・いろいろと

(2) ①突然・急に　②あちこち・ほうぼう　③しょっちゅう・年中　④幾分・少し

　　⑤再三・何度も

*(1)「にわかに」「急に」「突然」は意味が似ているが、入れ替えられない場合もある。一緒に使う言葉に注意が必要。

## Ⅲ. 実践練習 ≫

1. ☐1 1　☐2 1*　☐3 3　☐4 1　☐5 3　☐6 2　☐7 3　☐8 3　☐9 2

　☐10 3　☐11 4　☐12 1　☐13 2　☐14 4　☐15 2　☐16 1　☐17 1　☐18 2

　☐19 4　☐20 2　☐21 2　☐22 4　☐23 3　☐24 1　☐25 2

　＊☐2 「せいぜい」はあまり多くないというニュアンスがある。「多くても」は「あまり多くない」、「少なくても」
は「ある程度以上」という意味が含まれる。

---

**2章　意味が似ている言葉** **2課　名詞・動詞**

## Ⅰ. 言葉と例文 ≫

**1** 見本

## Ⅱ. 基本練習 ≫

**1** (1) 眺め―風景　伝言―メッセージ　クレーム―文句　用途―使い道

　(2) でたらめ―本当ではない　チャンス―機会　娯楽―レジャー

　　　打ち合わせ―ミーティング　サンプル―見本

　(3) 驚く―びっくりする　サポート―助け　くつろぐ―リラックスする

　　　調整する―コントロールする　がっかりする―失望する

　(4) 訂正する―直す　お詫びする―謝る　持ち直す―よくなる　移転する―引っ越す

　　　くたびれる―疲れる

**2** (1) ①試供品　②きっかけ　③分野　④チャンス

　(2) ①使い道　②打ち合わせ　③スケジュール　④トレーニング

　(3) ①あがって　②打ち消す　③一致した　④引き返す

　(4) ①リラックスする　②驚いた　③言い張って　④持ち直した

　(5) ①転居　②伝言　③サポート　④レジャー

**3** (1) ①(に)貢献する・役立つ　②(を)コントロールする・調整する　③(に)参る・負ける

　　　④(を)悔やむ・後悔する

　(2) ①(を)報じる・伝える　②(が)普及する・広まる　③(を)破る・負かす

　　　④(を)お詫びする・謝る　⑤(を)怠ける・サボる

## Ⅲ. 実践練習 ≫

1. ☐1 4　☐2 1　☐3 3　☐4 3　☐5 2　☐6 2　☐7 2　☐8 1　☐9 2

　☐10 2　☐11 4*　☐12 3　☐13 1　☐14 3　☐15 2　☐16 3　☐17 2　☐18 1

　☐19 4　☐20 3*　☐21 2　☐22 1　☐23 2　☐24 4　☐25 1*

　＊☐11 「一人一人の」という意味なので「それぞれの」が適切。

　＊☐20 「くるむ」は巻くようにして包むこと。「覆う」は上から布などをかけて見えなくすること。「挟む」はも
のとものとの間に入れること。

*25「冷静になれば」は「冷静な状態に変化すれば」ということなので、「落ち着いた状態になれば」の意味の「落ち着けば」が適切。「慌てなければ」は「慌てるという状態でなければ」という意味なので、「冷静であれば」という表現なら入れ替えは可能。

## 3章　形が似ている言葉

### Ⅰ. 言葉と例文 》

**1** 修理

＊機械を直す場合には「修理」を使う。

### Ⅱ. 基本練習 》

**1** (1) 頑固さ・無神経さ—にあきれる　　就職・受験・人生—をあきらめる

(2) 気軽な—料金・お店　　気楽な—生活・商売　　気まずい—空気・沈黙

(3) やかましい—音・声・携帯　　あつかましい—お願い・態度

　　あわただしい—毎日・一日

(4) 計画・画像—を修正する　　機械・電話—を修理する　　誤り・発言—を訂正する

(5) 三分間・午後・昼—の休憩　　三週間・年末年始—の休暇

　　三年間・心・身体—の休養

(6) 評判を—呼ぶ・取る　　評価を—下す・与える　　批判を—浴びる・強める

**2** (1) ①有能　②有効　③有利　　(2) ①適当　②適切　③適度

(3) ①あきらめて　②あきれて　③あこがれて

(4) ①今さら　②今にも　③今や　　(5) ①改正　②改良　③改善

(6) ①何しろ　②何とも　③何とか　　(7) ①改築　②改造　③改革

(8) ①たのもしい　②たくましい　③やかましい

**3** (1) ○　　(2) × 未だに　　(3) × 評価　　(4) × 適応　　(5) ○　　(6) ○

(7) × 休業

### Ⅲ. 実践練習 》

1. 　1 3　　2 4　　3 2　　4 3　　5 3　　6 2　　7 4　　8 1　　9 1

　　10 4

2. 　1 2　　2 1　　3 1　　4 3　　5 4

3. 　1 4*　　2 4*　　3 1*　　4 3*　　5 2*

＊1「有効」は「効き目がある」「役に立つ」という意味の形容詞。2のように名詞としては使わない。1は「有利」、2は「効果」、3は「有能」などが適切。

＊2「厚かましい」は「恥ずかしいと思う気持ちや遠慮がない」という意味。1は「暑い」、2は「忙しい」、3は「頼もしい」などが適切。

＊3「休憩」は「今していることを短い間だけやめて、休む」という意味。2は「休暇」、3は「休養」などが適

切。4では「期間」という言葉が使われているが、「休憩」に比べ長い時間に対して使われる言葉なので「休憩期間」とは言えない。「休憩時間」などであれば適切。

＊ ④「今や」は「今では」という意味。1は「今さら」、2は「今にも」、4は「今まで」などが適切。

＊ ⑤「何とか」は①「努力して何かをする」②「十分ではないが、あるレベルは超えている」という意味で、2は①の意味。1は「何だか」、3は「何でも」、4は「何か」などが適切。

---

**4章 副詞** **1課 程度、時間、頻度の副詞**

## Ⅰ. 言葉と例文 ≫

**1** 「なかなか」は何かを評価するときに使う言葉で、目上の人には使わないほうがよい。

## Ⅱ. 基本練習 ≫

**1** (1)＊ ①よほど　②ぐっと　③大いに

(2)＊ ①いつの間に　②絶えず　③近々

(3) ①終始　②当分　③依然

＊(1)「よほど・よっぽど」は程度を推量するときに使う。「大いに」は主に動詞を修飾する副詞。

＊(2)「いつの間に」と「いつの間にか」では使い方が異なる。「いつの間に」は、「～だろう」「～か」など、疑問の表現と一緒に使う。

**2** (1) ①はるかに　②余計に　③何より　　(2) ①一段と　②めっきり　③なおさら

(3) ①なかなか　②極めて　③相当　　(4) ①まれに　②たびたび　③しきりに

(5) ①長年　②相変わらず　③絶えず　　(6) ①もはや　②あらかじめ　③従来

**3** (1) × いったん・ひとまず　　(2) × めっきり・ずいぶん・とても

(3) ○　　(4) ○　　(5) × しばしば　　(6) ○

**4** (1) 好きになりました　　(2) いなくなる　　(3) 減少した・減った

## Ⅲ. 実践練習 ≫

1. ① 1　② 2　③ 1　④ 4　⑤ 2　⑥ 3　⑦ 4　⑧ 2　⑨ 1
   ⑩ 3

2. ① 3　② 1　③ 3　④ 3　⑤ 4

3. ① 3＊　② 4＊　③ 1＊　④ 3＊　⑤ 2＊

＊①「相当」は「程度が普通より高い」という意味。1、4は「相当」の後ろに程度を表す言葉が来ていないので、「相当」が使えない。2は程度が低いことを表す文なので、「相当」が使えない。

＊②「今に」は「近い将来」という意味。1、2、3は現在の習慣や過去を表す文なので、「今に」が使えない。1は「急いで」、2は「いつの間にか」、3は「今まで」などが適切。

＊③「いったん」は「一時的に」の意味。2は「一度」、3は「一気に」、4は「一度」などが適切。

＊④「たちまち」は「非常に短い間に何かが行われる／起こる」という意味。1、4のような、時間が掛かる変化には使わない。1は「だんだん」、2は「もう一度」、4は「どんどん」などが適切。

* ⑤「割合」は「普通予想される程度を少し超えている」という意味。1、3、4には「急激」「真冬」「記録的な暑さ」など程度を大きく超える意味の語があり、「割合」が使えない。1は「かなり」、3は「とても」、4は「更に」などが適切。

4章 副詞 2課 後ろに決まった表現が来る副詞

Ⅰ. 言葉と例文 ≫

**1** 「さっぱり」は後ろに否定の表現が来る。(例) お客さんがさっぱり来ない。

Ⅱ. 基本練習 ≫

**1** (1) ①ちょうど ②なかなか ③おそらく (2) ①たとえ ②果たして ③まさか

(3) ①万が一 ②どうも ③さっぱり (4) ①まるで ②一体 ③とても

**2** (1) ①大して ②めったに ③別に (2) ①ちょうど ②どうも ③あたかも

(3) ①一切 ②さっぱり ③必ずしも (4) ①たとえ ②いくら ③万が一

**3** (1) × どうも・何だか (2) × 恐らく・多分・きっと (3) ○ (4) × そう

(5) ○ (6) ○ (7) × さっぱり・ちっとも

**4** (1) 面白くないです (2) 母親のように (3) 当たったら

(4) しないだろう・しないと思う (5) いません

Ⅲ. 実践練習 ≫

1. 1 3　2 3　3 4　4 1　5 4　6 2　7 3　8 2　9 3
10 3

2. 1 1　2 3　3 2　4 2　5 1

3. 1 4*　2 3*　3 1*　4 1*　5 4*

*1 「どうも」は、はっきりわからないことを推測するときに使う。1、2、3は文の終わりがそれぞれ「なければならない」「はずだ」「ください」となっていて、4の「ような気がする」のようにはっきりわからないことを推測するときに使われる表現ではないので、「どうも」が使えない。1は「どうしても」、2は「絶対」、3は「どうぞ」などが適切。

*2 「まさか」はあることが起きる可能性が低く、起きないだろうと推測するときに使う。1、2、4は文の終わりがそれぞれ「に違いない」「だね」「だよ」となっていて、3の「なんて思わなかった」のようにあることが起きないということを推測する表現ではないので、「まさか」が使えない。1は「きっと」、2、3は「まさに」(第4章3課)などが適切。

*3 「もしかしたら」は、可能性は低いが、あることが起きる可能性はあると推測するときに使う。2、3、4はそれぞれ文の終わりが「んです」「に違いない」「だ」となっていて、「かもしれない」のような可能性の低さを推測する表現ではないので、「もしかしたら」が使えない。2、4は「きっと」「多分」、3は「きっと」などが適切。

*4 「さっぱり」は否定を強調し、「あることやものが数的にほとんどない」というときに使う。2は文の終

22

わりが「しまった」で、否定でなく、3、4は文の終わりが「わけがない」「来なかった」で否定だが、「数的にほとんどない」という意味を持たないので、「さっぱり」が使えない。2は「すっかり」、3は「ちゃんと」、4は「もし」などが適切。

*⑤「まるで」は「あるものやことが何かにとてもよく似ている」というときに使う。1、2、3は文の終わりが「高い」「広かった」「ような気がする」で、4の「ようだ」のような、「似ている」ことを表す表現ではないので、「まるで」が使えない。1は「とても」、2は「とても」「なかなか」、3は「きっと」などが適切。

## 4章 副詞 3課 まとめて覚えたい副詞・その他の副詞

### I. 言葉と例文 ≫

**1** わざと

### II. 基本練習 ≫

**1** (1) ふと―気が付く・不安になる・空を見上げる

案外―簡単だ・人が多い・面白くない

あくまで―戦う・やめない・自分の意見を変えない

(2) 思い切って―挑戦する・意見を言う・高い服を買う

うっかり―間違える・忘れ物をする・寝過ごす

次第に―変化する・明るくなる・温度が上昇する

あいにく―出かけている・都合が悪い・売り切れだ

**2** (1) ①とりあえず ②やむをえず ③一応　(2) ①むしろ ②かえって ③まして

(3) ①常に ②どうせ ③決まって　(4) ①わずかに ②たった ③ほんの

(5) ①突如 ②早速 ③至急　(6) ①いよいよ ②ついに ③結局

(7) ①わざと ②せっかく ③わざわざ　(8) ①ふと ②うっかり ③思わず

(9) ①まさに ②既に ③単に

**3** (1) ○　(2) × とうとう・ついに　(3) × 思い切って　(4) ○　(5) × あいにく

### III. 実践練習 ≫

1. ①3　②1　③2　④3　⑤3　⑥3　⑦4　⑧1　⑧2　⑩2

2. ①2　②2　③1　④3　⑤2

3. ①4*　②2*　③1*　④3*　⑤4*

*①「常に」は「どんなときでも」という意味。1は「ただ」、2は「必ず」、3は「既に」などが適切。

*②「案外」は「予想されていることと違って」という意味。1は「思った通り」、3は「とても」、4は「かえって」などが適切。

*③「あくまで」は「どこまでも／最後まで何かをする」という意味で、人の意志的な行為を強調する。2の「気付いた」、4の「休みだった」は人の意志的な行為でなく、3は「ください」という指示の表現なので、「あ

くまで」が使えない。2、3は「改めて」、4は「あいにく」などが適切。

* ④ 「せいぜい」は「どんなに多くても」という意味で、「あることやものの程度が高くない、数が多くない」というときに使う。1は「せめて」、2は「たった」、4は「少なくとも」などが適切。

* ⑤ 「とうとう」は「最終的に予想した通りの結果になった」というときに使う。1は「もう一度」、2は「きゃあきゃあ」、3は「早速」などが適切。

## 5章　オノマトペ

### Ⅰ. 言葉と例文 》》

**1** c

### Ⅱ. 基本練習 》》

**1** (1) びっしょり―ぬれる　じっくり―考える　ぐったり―疲れる

(2) ひっそりと―静まる　しっとりと―湿っている　ずっしりと―重い
ひんやりと―冷える

(3) ずばり―当てる　ざっと―数える　つくづく―思う　のびのび―育つ

(4) ぽかぽか―温まる　しみじみ―感じる　のんびり―過ごす　てきぱき―指示する

(5) こつこつ―続ける　はきはき―答える　きっぱり―断る　すれすれに―近づく

(6) くよくよ―悩む　くたくたに―疲れる　にやにや―笑う　おどおど―話す

**2** (1) ①ぎっしり　②どっさり　③くっきり　(2) ①すんなりと　②さっさと　③ざっと

(3) ①ぼろぼろ　②すれすれ　③ほやほや　(4) ①いきいき　②はきはき　③きびきび

(5) ①ぼんやり　②のんびり　③のびのび　(6) ①おどおど　②そわそわ　③ひやひや

(7) ①にやにや　②いらいら　③へとへと　(8) ①くよくよ　②おっとり　③ぐったり

**3** (1) した　(2) きっぱりと・きっぱり　(3) 湿っている　(4) だ

(5) 勉強した・本を読んだ　(6) ひっそりとした

### Ⅲ. 実践練習 》》

1. ① 3　② 2　③ 2　④ 1　⑤ 4　⑥ 4　⑦ 3　⑧ 2　⑨ 3
⑩ 1

2. ① 3　② 2　③ 2　④ 4　⑤ 3

3. ① 2*　② 2*　③ 4*　④ 1*　⑤ 4*

* ① 「ほやほや」は「その状態になったばかり」という意味。1は「すぐ」、3は「ほかほか」、4は「すれすれ」などが適切。

* ② 「むかむか」は「怒っている」または「気持ちが悪い」という意味。1は「あっさり」、3は「にこにこ」、4は「にやにや」などが適切。

* ③ 「くよくよ」は「何かをずっと気にして悩む」という意味。1は「くたくた」、2は「ごちゃごちゃ」、3は「わくわく」などが適切。

*  4 「そわそわ」は「大切なことを前にして落ち着かない」という意味。2は「ひやひや」、3は「ひっそり」、4は「すんなり」などが適切。

*  5 「せっせと」は「休まずに何かを一生懸命行う」という意味。1は「せっかく」、2は「さっさと」、3は「いちいち」などが適切。

## 6章　慣用表現 ┃ 1課　体の言葉を使った慣用表現①

### Ⅰ. 言葉と例文 ≫

**1**　「顔を出す」は「出席する」「訪ねる」という意味。

### Ⅱ. 基本練習 ≫

**1** (1) 口がうまい—口だけでほめたり、人の気分をよくするように話す

　　　目がない—自分の気持ちがコントロールできないくらい好きである

　　　口が軽い—おしゃべりで、言ってはいけないことも話してしまう

　　　腕を上げる—技術などがこれまでより上達する

　(2) 目を通す—全部を大体見ること　　手が掛かる—とても世話が必要である

　　　鼻が高い—自慢ができる　　目に浮かぶ—状況が想像できる

　　　耳にする—聞く・聞こえてくる

　(3) 手をつける—仕事などを始める

　　　頭が痛い—難しいことがあって、心配で悩んでいる

　　　目を付ける—これから期待できるもの、よいものとして注目する

　　　手を組む—協力する　　頭に来る—怒る・怒りの気持ちを持つ

　(4) 口が堅い—秘密など言ってはいけないことを簡単に話さない

　　　耳を貸す—人の言うことを聞く　　鼻で笑う—ばかにする

　　　頭が固い—新しい考えなどをなかなか理解や納得しようとしない

　　　口が重い—あまり話さない・おしゃべりではない

　(5) 顔が広い—知人が多い

　　　口が滑る—人に話してはいけないことをうっかり話してしまう

　　　手が出ない—自分の能力ではできない

　　　頭を冷やす—冷静になる・気持ちを落ち着かせる　　顔を出す—ある場所に行く

**2** (1) × 手を出して　　(2) × 目に付く　　(3) ○　　(4) ○　　(5) × 手を貸して

　(6) × 鼻で笑った　　(7) × 口が重い

**3** (1) ①手　②目　③耳　④口　　(2) ①顔　②口　③手　④鼻

　(3) ①肩　②口　③手　④頭

### Ⅲ. 実践練習 ≫

1. 1 3　　2 4　　3 2　　4 4　　5 2

2. 　1 3*　　2 4*　　3 2*

*1 「組む」には、①「何かの目的のために仲間になる」、②「まとまっていないものを一つにまとめる」、③「ものを交差させる」という意味がある。3の「手を組む」は、①の意味。②の意味では、「予定を組む」「予算を組む」などのように使うが、「考え／計画を組む」とは言わない。③の意味では、「腕を組む」なとのように使う。1は「子供と腕を組む」なら適切。また、「子供の手を持つ」という意味であれば、「子供と手をつなぐ」となる。

*2 「空く」は「時間や場所を取っていたものがなくなって、使えるようになる」という意味。「仕事が終わって、時間が使えるようになって暇になる」という意味では「手が空く」という慣用表現を使う。

*3 「通す」には、①「あるところから別のところまで行かせる」、②「全体を最後まで続けてする」などの意味がある。2の「目を通す」は②の意味。1は「心が通じ合う」という意味で「心を通わせる」、2は「あるところまで出かけて更に遠くまで行く」という意味で「足を延ばす」、4は「話を聞く」という意味で「耳を貸す」が適切。

3. 　1 2　　2 3　　3 1　　4 3　　5 4　　6 2　　7 1　　8 3　　9 1
　　10 2　　11 1　　12 3　　13 4　　14 2

## 6章　慣用表現　2課　体の言葉を使った慣用表現②・その他の慣用表現

## Ⅰ. 言葉と例文 ≫

**1** 痛める

＊「心を痛める」は「心配する」「悲しむ」などの意味を持つ慣用表現。

## Ⅱ. 基本練習 ≫

**1** (1) 気が散る―集中できない

心が狭い―あることへの見方が偏っていて、状況に合わせられない

気が小さい―小さいことを気にする　　腹を立てる―怒る

(2) 息が切れる―息ができなくなって、苦しくなる　　力を入れる――生懸命にする

胸を張る―自信を持つ・得意になる　　気に掛かる―心配になっている

心を込める―心の中を思いやりの気持ちや真心でいっぱいにして、何かをする

(3) 骨が折れる―とても難しくて苦労する

気が進まない―あまり積極的にしようと思わない

息が長い―長い間、ずっと続いている

足を運ぶ―何かの目的があって、わざわざ行く

気が済む―満足する・心が落ち着く

(4) 胸に納める―自分の心に隠したまま、誰にも言わない　　身が入る――生懸命にする

腹が決まる―決心する　気が向く―何かをしたい気持ちになる

息が合う―何かを一緒にする調子や気持ちがぴったり合う

(5) 気を落とす―がっかりする・落ち込む

身につける―知識、技術などを自分のものにする

気が利く―細かいところにまで気が付く

名が売れる―人に知られるようになる・有名になる

心を痛める―心配する・心に苦痛を感じる・悲しむ

**2** (1) × 気を遣(つか)う　　(2) ○　　(3) ○　　(4) × 心が狭い　　(5) × 気が短くて

(6) × 足を引っ張られた　　(7) × 気が合う

**3** (1)* ①足　②身　③気　④名　　(2)* ①心　②気　③息　④力

(3) ①気　②腹　③首　④骨

\*「名が売れる」「心が広い」「息が長い」などの慣用表現の場合、後(うし)ろに名詞(めいし)が来ると、「名の売(う)れた+名詞(めいし)」「心(こころ)の広(ひろ)い+名詞(めいし)」「息(いき)の長(なが)い+名詞(めいし)」のように助詞(じょし)「が」が「の」になることが多(おお)い。

## III. 実践練習 ≫

1. 　１ 1　　２ 4　　３ 2　　４ 2　　５ 3

2. 　１ 4*　　２ 2*　　３ 2*

*１「散(ち)る」には、①「花(はな)や葉(は)が枝(えだ)から落(お)ちる」、②「集(あつ)まっていたものがばらばらに分(わ)かれて、広(ひろ)がる」、③「気持(きも)ちがあちこちに移(うつ)って落(お)ち着(つ)かない」などの意味(いみ)がある。4の「気(き)が散(ち)る」は③の意味の慣用表現で、1のように「心(こころ)が散(ち)る」とは言(い)わない。また、②「広(ひろ)がる」の意味でも、「話(はなし)が散(ち)る」「声(こえ)が散(ち)る」という言(い)い方(かた)はしない。

*２「延(の)ばす」は、①「時間(じかん)や日時(にちじ)を遅(おく)らせる」、②「既(すで)にある道路(どうろ)などを更(さら)に長(なが)くする」、③「薄(うす)くする」、④「あるところまで出(で)かけて更(さら)に先(さき)に行(い)く」などの意味(いみ)がある。④は「足(あし)を延(の)ばす」という慣用表現(かんようひょうげん)のみで使(つか)う。1、3、4のような慣用表現(かんようひょうげん)はない。

*３「利(き)く」は「本来(ほんらい)の能力(のうりょく)、特性(とくせい)、機能(きのう)が十分(じゅうぶん)に働(はたら)く」という意味(いみ)。2の「気(き)が利(き)く」は「十分(じゅうぶん)に気(き)が付(つ)く、気(き)を遣(つか)うことができる」の意味(いみ)の慣用表現(かんようひょうげん)。1、3、4のような慣用表現(かんようひょうげん)はない。

3. 　１ 1　　２ 4　　３ 4　　４ 3　　５ 1　　６ 3　　７ 2　　８ 1　　９ 3

　１０ 2　　１１ 1　　１２ 1　　１３ 4　　１４ 3

## 7章　語形成　1課　二つの言葉をプラス

## I. 言葉と例文 ≫

**1** 「友達(と)話し合う」「友達(に)話しかける」

\*「話(はな)し合(あ)う」は相手(あいて)と一緒(いっしょ)に行為(こうい)をするので、助詞(じょし)は「と」。「話(はな)しかける」は二人(ふたり)のうち片方(かたほう)だけが相手(あいて)に対(たい)して行(おこな)う行為(こうい)なので、助詞(じょし)は「に」。

## II. 基本練習 ≫

**1** (1) 出した　　(2) 合って　　(3) 回って　　(4) 込んだ　　(5) かけて　　(6) 直す

(7) 出さないで

**2** (1) ①取り上げられて　②取り入れて　③取り消さ　④取り出す

(2) ①受け持つ　②受け入れて　③受け取って

(3) ①組み立てて　②組み合わせて・組み合わせ

(4) ①追い付く　②追いかけられて　③追い出されて　④追い越す

(5) ①乗り越えて　②乗り遅れた　③乗り越して

(6) ①引き取り　②引き出す　③引き受けて　④引き止められて　⑤引き返した

(7) ①引っ張って　②引っかけて・引っかけ　③引っ込んで　④引っかかれて
　　⑤引っかかって

**3** (1) 会計係を<u>受け持つ</u>—担当する　　発表会について<u>打ち合わせる</u>—相談する

　　　予約を<u>取り消す</u>—キャンセルする　　条件に<u>あてはまる</u>—合う

(2) 真面目な仕事<u>ぶり</u>—〜をしている様子　　きれいな<u>色遣</u>い—〜の使い方

　　出来<u>たて</u>の料理—〜たばかり　　解決<u>済</u>みの問題—既に〜した

　　子供<u>連れ</u>の客—〜と一緒

## III. 実践練習 ≫

1. ⓵ 3　　② 1　　③ 2　　④ 1　　⑤ 3　　⑥ 3　　⑦ 2　　⑧ 3　　⑨ 1
　⓾ 4

2. ⓵ 2　　② 4　　③ 4　　④ 3　　⑤ 1

3. ⓵ 3*　　② 4*　　③ 2*　　④ 2*　　⑤ 1*

*⓵「受け持つ」は「自分の責任の範囲として仕事などを引き受ける」という意味。1は「引き取る」、2は「受け取る」、4は「持つ」が適切。

*②「すれ違う」は「近くを通ってそれぞれ反対の方向へ行く」という意味。1は「見かける」、2は「通り過ぎる」、3は「間違う」「間違える」が適切。

*③「振り返る」は「後ろを見る」「過去を思い出す」という意味。1は「引き返す」「戻る」など、3は「返す」「返却する」、4は「歩き回る」などが適切。

*④「思い込む」は「事実・真実でないことを固く信じて疑わなくなる」という意味。1は「思う」、3は「覚える」、4は「思い出す」が適切。

*⑤2は「気前」、3、4は「金の使い方」などが適切。「金遣いが荒い」は「金を使いすぎる」という意味。

## 7章 語形成 | 2課 単語の前に漢字をプラス

## I. 言葉と例文 ≫

**1** (1) 未解決・未経験・未完成など　　(2) 未—まだ〜していない

　　不真面目・不注意・不景気など　　　不—〜ではない(よくないことが多い)

　　無意識・無関係・無計画など　　　　無—〜がない

　　非常識・非課税など　　　　　　　　非—〜しない・〜がない(よくないこととは限らない)

28

## Ⅱ. 基本練習 ≫

**1** (1) ①無 ②未 ③非 ④不　(2) ①総 ②全　(3) ①各 ②諸　(4) ①今 ②現

(5) ①元 ②前　(6) ①正 ②真　(7) ①逆 ②反　(8) ①別 ②異

**2** (1) ①好—悪 ②長—半 ③長—短 ④片—両

(2) ①大・多—少 ②高—低 ③新—旧 ④重—軽

**3** 超高級ホテルに泊まる。—非常に・とても

ピアノの生演奏を聞きながら食事する。—録画や録音をしていない

これはジャズの名曲だ。—優れた・有名な

化粧品の主成分を調べる。—中心となる・主な

環境問題が今後の最重要課題だ。——番・最も

**4** (1) ○　(2) × 低　(3) × 古　(4) × 現　(5) ○　(6) × 急　(7) × 小

(8) × 大　(9) × 不

## Ⅲ. 実践練習 ≫

1. |1| 2　|2| 3　|3| 1　|4| 4　|5| 2　|6| 4*　|7| 2　|8| 1　|9| 4*

|10| 3　|11| 4　|12| 2　|13| 3*　|14| 4　|15| 3　|16| 1　|17| 2　|18| 3

|19| 1　|20| 1　|21| 2*　|22| 3　|23| 4　|24| 1　|25| 3

*|6|「正反対」は「二つのものが完全に反対の状態」という意味。「大反対」は「両親は姉の結婚に大反対だった」

のように使われ、「ほかの人の意見や考えに強く反対する」という意味。

*|9|「副作用」は「薬を使ったときに、ねらった効果以外に出てくるよくない影響」という意味。「反作用」と

いう言葉もあるが、「反作用」は「ものに力を加えたときに、ものから返ってくる力」という意味で、物理学の

分野で多く使われる。

*|13|「価格が安い」という意味で「安価」という言葉もあるが、「安価格」という言葉はない。

*|21|「異」も「違」も漢字の意味は似ているが、「異分野」「異文化」など単語の前に付くのは「異」だけ。

---

**7章 語形成** **3課　単語の後ろに漢字をプラス**

## Ⅰ. 言葉と例文 ≫

**1**「2. 言葉」1. の語参照。

## Ⅱ. 基本練習 ≫

**1** (1) ①官 ②師 ③員 ④士 ⑤者 ⑥家 ⑦業

(2) ①金 ②料 ③代 ④費

(3) ①所 ②街 ③場 ④地 ⑤署

(4) ①器 ②計 ③具 ④機

(5) ①力 ②感 ③心

(6) ①産 ②風 ③製 ④式 ⑤用

(7) ①法　②制

(8) ①帳　②証　③版　④状　⑤届

(9) ①別　②量　③率　④差　⑤度

2 (1) 性*　　(2) 化*　　(3) 化*　　(4) 的*

*(1)「危険性」「重要性」「必要性」などのように「～性」が付くと、その語は名詞になる。

*(2)(3)「工業化する」「自由化する」「深刻化する」などのように「～化」が付くと、「する」を伴って動詞として使われる。

*(4)「基本的な」「一般的な」「社会的な」などのように「～的」が付くと、その語はな形容詞になる。

## Ⅲ. 実践練習 ≫

1. | 1 | 3 | 2 | 2 | 3 | 3 | 4 | 1 | 5 | 2 | 6 | 1 | 7 | 3 | 8 | 4 | 9 | 1 |

| 10 | 4 | 11 | 3 | 12 | 2 | 13 | 4 | 14 | 2 | 15 | 4 | 16 | 3* | 17 | 3 | 18 | 4 |

| 19 | 1 | 20 | 4 | 21 | 2 | 22 | 2* | 23 | 3 | 24 | 1 | 25 | 4 |

*16 「製」は製品がつくられた国、会社、材料を表す場合に使うが、本などの出版物には使わない。「用」は使われる目的を表すためここでは間違い。

*22 「実用化」は「技術や製品を実際に使えるようにする」という意味。「実用性」は「実際に使える性質」という意味で「実用性がある／ない」「実用性が高い／低い」「実用性を重視する」のように使われるが、この問題文で使うには、「実用性を高めるために研究を進めている」としなければならない。「実用的」は「実用的な製品」のように形容詞として使われ、この問題文で使う場合、「実用的なものにするために研究を進めている」となる。

## 7章　語形成　4課　形容詞から作る動詞と名詞

## Ⅰ. 言葉と例文 ≫

1 「温かい」→「温まる」「温める」　「痛い」→「痛む」

*ほかに「悲しい」→「悲しむ」、「憎い」→「憎む」など

## Ⅱ. 基本練習 ≫

1 (1) 怪しんで　(2) 早まる　(3) 惜しま　(4) 静める　(5) 広がる　(6) 丸まって

(7) 悔やんで　(8) 弱まる　(9) 固まって　(10) 涼み　(11) 暖まらない　(12) 憎んで

(13) 速まる　(14) 強まって　(15) 薄めて　(16) 親しんで　(17) 深まる　(18) 高める

(19) 温まる　(20) 広まった　(21) 苦しんで　(22) うらやんで　(23) 痛んで

(24) 悲しんで

**2**

| 形容詞 | ～さ | ～み | 形容詞 | ～さ | ～み |
|---|---|---|---|---|---|
| 楽しい | 楽しさ | 楽しみ | うまい | うまさ | うまみ |
| 悲しい | （悲しさ） | 悲しみ | 甘い | 甘さ | （甘み） |
| 苦しい | 苦しさ | （苦しみ） | 辛い | （辛さ） | 辛み |
| 面白い | （面白さ） | 面白み | 苦い | 苦さ | （苦み） |
| 親しい | 親しさ | （親しみ） | おいしい | おいしさ | ——— |
| 温かい | （温かさ） | 温かみ | 厚い | 厚さ | （厚み） |
| ありがたい | ありがたさ | （ありがたみ） | 丸い | （丸さ） | 丸み |
| 寂しい | 寂しさ | ——— | 重い | 重さ | （重み） |
| うれしい | （うれしさ） | ——— | 深い | （深さ） | 深み |
| 痛い | （痛さ） | 痛み | 強い | 強さ | （強み） |
| かゆい | かゆさ | （かゆみ） | 弱い | （弱さ） | 弱み |
| 苦しい | （苦しさ） | 苦しみ | いい | よさ | |
| つらい | （つらさ） | ——— | 大切 | （大切さ） | |

＊「～み」は、「悲しい」など感情を表す語、「痛い」など感覚を表す語、「甘い」など味覚を表す語を名詞にすることができる。しかし、このような語すべてに「～み」が付くわけではないので、各語ごとに覚える必要がある。

**3** (1) 厚み＊ 　(2) 弱さ＊ 　(3) 温かみ＊ 　(4) 深さ＊ 　(5) 親しみ＊ 　(6) 甘さ＊ 　(7) 親しさ＊
(8) 深み＊ 　(9) 弱み＊

＊(1)「厚みのある～」「厚みがある」は普通より厚いと感じる様子に使う。この問題文で「厚さ」を使う場合は、「はがきのような厚さの紙でも」となる。「厚さのある」は間違い。

＊(2)「意志の弱さ」は「意志が弱いこと」という意味。「弱み」は「弱いところ・弱点」という意味で、「人、チーム、組織の弱み」などのように使うが、「意志の弱み」「力の弱み」のようには使わない。

＊(3)「温かみのある～」「温かみがある」は「愛情や気持ちがこもっている」という意味。何かの中に込められた人の気持ちを感じるような場合に使う。「旅先で人々の温かさに触れた」のように「温かさ」は人の愛情や気持ちそのものを表す場合に使う。

＊(4)「深さ」は「どのくらい深いか」という意味。「深み」は「川やものごとの深くてなかなか出られないところ」や「簡単には理解できない複雑な性質」という意味。

＊(5)「親しみ」は「親しみを覚える」「親しみを持つ」「親しみを感じる」というように使い、「自分に近い存在であるように感じる」という意味になる。

＊(6)「甘さ」は味にも考え方にも使うのに対して、「甘み」は味にしか使わない。

＊(7)「親しさ」は「どのくらい親しいか」という意味。

＊(8)「味に深みが増す」は「味が（いい意味で）複雑になる」という意味。「深さ」は「味の深さに驚いた」のように、「とても深いこと」という意味で使われるが、味そのものを意味する場合は通常「深み」が使われる。

＊(9)「弱みを握られる」は、「他人に知られると都合が悪いことを知られて、相手より弱い立場に立たされる」

という意味。

## III. 実践練習 ≫

1. 　1 2　　2 1　　3 3　　4 3　　5 1

2. 　1 4　　2 1　　3 2　　4 4　　5 3

3. 　1 2*　　2 4*　　3 3*　　4 3*　　5 2*

*　1 「弱み」は「弱いところ・弱点」という意味。ほかの人に攻められたら、立場が弱くなってしまう場合に使われる。したがって、1のような場合は使えない。3のように「それ自身が弱い」という意味でも使えない。また、4のように「野菜などが悪くなる」という意味でも使えない。

*　2 「広める」は「具体的なものの占める範囲を広くする」という意味では使わないので、ほかの選択肢は不適切。1は「広げる」、2は「広がる」、3は「広げる」が適切。

*　3 「重み」ははかりではかった重量の場合は使わない。3以外の場合は「重さ」が適切。

*　4 「涼む」は、「人が涼しい風に当たったり、日陰に入ったりして暑さを避ける」という意味。したがって、ほかの選択肢は不適切。1は「涼しくなる」、2は「冷える」、4は「涼しい」が適切。

*　5 「惜しむ」は「失うのを残念に思う／十分に出さずに済ませようと思う」という意味なので、ほかの選択肢は不適切。

## 模擬試験

### 第1回

1. 　1 2　　2 3　　3 2　　4 1　　5 3

2. 　1 1　　2 4　　3 4　　4 1　　5 2

3. 　1 1　　2 4　　3 2　　4 1　　5 2

4. 　1 1　　2 2　　3 3　　4 4　　5 4

### 第2回

1. 　1 4　　2 2　　3 3　　4 3　　5 1

2. 　1 4　　2 4　　3 4　　4 2　　5 1

3. 　1 2　　2 3　　3 2　　4 1　　5 2

4. 　1 2　　2 4　　3 1　　4 2　　5 3

**れんしゅう1** 　□□□から　いちばん　いい　ものを　えらんで　ください。
　　　　　　（一つの　言葉を　2回ずつ　使います。）

| a より　　b ほど　　c の　ほう　　d どちら　　e どちらも |
| --- |

1　日本では　1月と　2月と　（　　）が　寒いですか。

2　ぼくは　だれ（　　）　彼女が　好きなんだ。

3　わたしは　サラさん（　　）　日本語が　上手では　ありません。

4　A「暑いですね。わたしは　夏(①　　)　冬(②　　)が　好きです。」

　　B「そうですか。わたしは　(③　　)　好きですよ。」

5　この　へやは　となりの　へや（　　）　暑くない。

6　A社の　カメラと　B社の　カメラと　(①　　)　が　べんりかなあ。

　　A社の　カメラ(②　　)が　安いんだけど……。

7　この　くつと　あの　くつ……わあ、（　　）　いいから、きめられないなあ。

**れんしゅう2** 　aか　bか　いい　ほうを　えらんで　ください。

1　肉料理と　魚料理と　どちらが　（a 好きですね　　b 好きですか）。

2　わたしは　兄ほど　（a いそがしいです　　b いそがしくないです）。

3　わたしの　うちでは、母が　（a いちばん　　b だれほど）　早く　家を　出ます。

4　ジュースと　お茶と　（a どちらを　　b どれを）　たくさん　飲みますか。

5　トム「ここから　東駅と　西駅と　どちらが　近いですか。」

　　山田「(a 西駅が　いちばん　近いです　　b 西駅の　ほうが　近いです)。」

6　1週間の　中で　(a 金曜日が　　b 金曜日の　ほうが)　いちばん　きゃくが　多い。

7　A「メールと　電話と　どちらを　よく　使いますか。」

　　B「そうですねえ。(a 電話ほど　使いません　　b メールの　ほうを　よく　使います)。」

8　トム「この　ドラマより　きのうの　ドラマの　ほうが　おもしろかったね。」

　　サラ「そうね。この　ドラマは　(a きのうのほど　よくないね　　b きのうのより

　　　　　いいね)。」

## 2課 ~ながら…　　~ところです　　~まで…・~までに…

### 1 ~ながら…

①きれいな 海を 見ながら さんぽしました。
②母は 音楽を 聞きながら 料理を 作ります。
③アルバイトを しながら 大学に 通いました。

動 ます +ながら

☞ Used when a main action or behavior (…) is accompanied by a separate, simultaneous ancillary action or behavior (~). It is added to a verb expressing a continuous action or behavior.
主となる動作(…)を行うときに、同時に別の動作(~)を付帯的に行うことを表す。継続的な動作を表す動詞につく。

### 2 ~ところです

①あ、試合が 始まる ところですよ。早く、早く。
②今、インターネットで 店の 場所を しらべて いる ところです。
③サラ「もしもし、今 どこ? もう 駅に いるの?」
　トム「うん、ちょうど 今 駅に 着いた ところだよ。」

動 辞書形／ている／た形 +ところです

☞ Expresses a time point in an action or a change. Dictionary form + ところ" indicates a time point just before the action gets started. The "ている + ところ" indicates a time point in a continuous action. The "た form + ところ" indicates a time point just after the action has been completed.
行為や変化のどの段階であるかを表す。前につく動詞の形によって段階が違う。直前(辞書形+ところ)、進行中(ている+ところ)、直後(た形+ところ)。

### 3 ~まで…・~までに…

①ひこうきの 出発時間まで ここで 待って います。
②この 仕事が 終わるまで 帰らないで ください。
③二十日までに 旅行の お金を はらいます。
④おきゃくさんが 来るまでに へやを かたづけてね。

名・動 辞書形 +まで・までに

☞ Expresses time limitation. A phrase expressing a continuous action, behavior or state follows after ~まで, while ~までに is followed by a phrase expressing an action of short duration.
時間の限度を表す。「~まで」の後には継続的な動作や状態を表す文が来る。「~までに」の後には瞬間的な動作を表す文が来る。

れんしゅう1  （　　）の 中の 言葉を 正しい 形に して、書いて ください。

1  兄は 「うん、うん」と ＿＿＿＿＿＿＿＿ながら、わたしの 話を 聞きました。（言う）

2  A「あれ？ まだ 仕事が あるの？」

　　B「いえ、今 ＿＿＿＿＿＿＿＿ ところです。」（帰る）

3  もしもし、今、駅に 向かって ＿＿＿＿＿＿＿＿ ところです。あと 5、6分で
　　着きます。（歩く）

4  けん「お母さん、ばんご飯、まだ？」

　　母 「今 ＿＿＿＿＿＿＿＿ ところよ。もう 少しで 食べられるよ。」（作る）

5  コンサートが ＿＿＿＿＿＿＿＿ ところですね。人が たくさん 会場から 出て
　　きましたよ。（終わる）

6  わたしは 日本に ＿＿＿＿＿＿＿＿まで ドイツに 住んで いました。（来る）


れんしゅう2  いちばん いい ものを えらんで ください。

1  子どもは （　　） 学校の ことを 話した。

　　a なきながら　　　　　　b 立ちながら　　　　　　c 大きい 声を 出しながら

2  あの いすに （　　） 話しましょう。

　　a すわって　　　　　　b すわりながら　　　　　　c すわる ところで

3  雨が （　　）から、タクシーで 行きましょう。

　　a ふって　　　　　　b ふって いる　　　　　　c ふった ところだ

4  この シャツの クリーニング、土曜日（　　） できますか。

　　a から　　　　　　b まで　　　　　　c までに

5  リーさんは この ニュースを もう （　　）でしょうか。

　　a 知る ところ　　　　　b 知って いる　　　　　c 知って いる ところ

6  試験が （　　） 教室に 入って ください。

　　a 始まる ところ　　　　b 始まって　　　　　c 始まるまでに

### 1 ～ませんか

①A「ひさしぶりに　テニスを　<u>しませんか</u>。」

　B「あ、いいですね。」

②A「あした、うちに　<u>来ませんか</u>。」

　B「あの、あしたは　ちょっと……。」

③トム「これ、<u>食べない</u>？　おいしいよ。」

　サラ「じゃ、一つ　もらうね。」

✏ 動ます ＋ませんか

☞ Used when making a proposal or invitation. It can be used for joint activities by speaker(s) and counterpart(s) ①, and also when only the other person is involved ② ③.
提案したり勧誘したりするときに使う。一緒にする場合(①)も、相手だけがする場合(②③)もある。

### 2 ～ましょう(か)

①A「もう　5時ですね。」

　B「じゃ、<u>帰りましょうか</u>。」

②A「いっしょに　食事を　しませんか。」

　B「いいですね。何を　<u>食べましょうか</u>。」

　A「すしを　食べませんか。」

　B「そうですね。じゃ、<u>行きましょう</u>。」

③A「電気、<u>つけましょうか</u>。」

　B「ええ、おねがいします。」

④トム「その　にもつ、<u>持とうか</u>。」

　サラ「あ、ありがとう。」

✏ 動ます ＋ましょう(か)

☞ Used to propose that a certain action be performed together, with a partner's consent (① ②) and when seeking consent for something you will do yourself (③ ④). In conversation with intimates, the う / よう form is used (please see page 22) (④).
相手の合意のある行為を一緒にすることを提案するとき(①②)や、自分がすることを申し出るとき(③④)に使う。親しい人との会話では「う・よう」の形(→22ページ)になる(④)。

れんしゅう1  （　　）の 中の 言葉を 正しい 形に して、書いて ください。

1  A「どこかで お茶を ①＿＿＿＿＿＿＿＿ませんか。」（飲む）

   B「そうですね。あの 店に ②＿＿＿＿＿＿＿＿ましょう。」（入る）

2  A「これから 花見に 行くんですが、Bさんも ＿＿＿＿＿＿＿＿ませんか。」（行く）

   B「あ、今日は ちょっと……。」

3  トム「サラ、いそがしい？ ＿＿＿＿＿＿＿＿か。」（手伝う）

   サラ「うん、ありがとう。」

4  A「あそこに ①＿＿＿＿＿＿＿＿ましょうか。」（すわる）

   B「そうですね。そう ②＿＿＿＿＿＿＿＿ましょう。」（する）

れんしゅう2  a か b か いい ほうを えらんで ください。

1  A「駅まで 行くんですか。じゃ、車で （a 送りませんか　b 送りましょうか）。」

   B「ありがとうございます。」

2  トム「この 本、おもしろかったよ。（a 読んで みない？　b 読んで みようか。）」

   サラ「うん、読んで みる。」

3  サラ「かさが ないの？ この かさを（a 貸さない？　b 貸そうか。）」

   トム「ありがとう。」

4  A「日曜日、いっしょに 海へ 行きませんか。」

   B「いいですね。どうやって （①a 行きませんか　b 行きましょうか）。」

   A「車で 行きませんか。運転しますよ。」

   B「車が あるんですか。じゃ、そう （②a しませんね　b しましょう）。」

5  A「行き方は わかりますか。地図を かきましょうか。」

   B「ええ、（a かきましょう　b かいて ください）。」

6  A「いい 天気ですね。少し さんぽしませんか。」

   B「そうですね。（a さんぽしましょう　b さんぽして ください）。」

## 1 〜(られ)ます

①ジョーさんは 英語と 日本語と 中国語が 話せます。

②はなちゃんは まだ 一人で 服が 着られません。

③この びじゅつかんでは 有名な えが 見られます。

④この 水は 飲めません。

→可能の形　18ページ

☞ Expresses capability (① ②) or potentiality of a situation ③. As in ④, it also expresses inherent capability or possibility. It is used with verbs expressing intentional human behavior. As with ① and ②, the object particle を often changes to が (ちゅうごくごをはなす、ふくをきる→ちゅうごくごがはなせる、ふくがきられる).

能力があること(①②)や可能な状況が整っていること(③)を表す。④のように物の性質として可能なことを表すこともある。人の意志的な行為を表す動詞を使う。①②のように目的語の助詞「を」を「が」にすることが多い。(中国語を話す、服を着る→中国語が話せる、服が着られる)

## 2 〜ができます・〜ことができます

①この コンビニでは 24時間 買い物が できます。

②今、この 建物の 中には 入る ことが できません。

③わたしは 日本の 県の 名前を ぜんぶ 言う ことが できます。

🔗 名 ＋ができます

　動 辞書形 ＋ことができます

☞ Expresses a situation of enablement or receipt of permission (① ②) and the existence of capability (③). Used with verbs expressing intentional human behavior. A slightly more formal pattern than 〜(られ)ます.

可能な状況が整っていること(①②)や能力があること(③)を表す。人の意志的な行為を表す動詞を使う。「〜(られ)ます」よりもやや改まった言い方。

## 3 見えます・聞こえます

①いい へやですね。まどから 海が 見えます。

②めがねが ありませんから、よく 見えません。

③風の 音が 聞こえるね。

🔗 名 ＋が見えます・が聞こえます

☞ Expresses natural ability to see or hear something.

自然に目に入ること、自然に耳に入ることを表す。

**れんしゅう1** （　）の 中の 言葉を 正しい 形に して、書いて ください。1〜6
の 言葉は 可能の形(potential form)に して ください。

1　ばんご飯は　1時間ぐらいで　＿＿＿＿＿＿＿＿。（作る）
2　車の　運転が　＿＿＿＿＿＿＿＿　人を　さがして　います。（する）
3　あの　人の　名前を　わすれた。ぜんぜん　＿＿＿＿＿＿＿＿。（思い出す）
4　これ、一人で　＿＿＿＿＿＿＿＿か。（持って　いく）
5　何時まで　ここに　＿＿＿＿＿＿＿＿か。（いる）
6　A「あした、朝　6時に　ここに　＿＿＿＿＿＿＿＿か。」（来る）

　　B「はい、だいじょうぶです。」
7　夜、一人で　こわい　映画を　＿＿＿＿＿＿＿＿　ことが　できますか。（見る）
8　この　クラブには、だれでも　＿＿＿＿＿＿＿＿　ことが　できます。（入る）

**れんしゅう2**　いちばん　いい　ものを　えらんで　ください。

1　となりの　へやから　わらって　いる　声が　（　　）。
　　a 聞けます　　　　　b 聞こえます　　　　c 聞こえられます
2　音が　小さいですから、よく　（　　）。
　　a 聞きません　　　　b 聞けません　　　　c 聞こえません
3　わたしは　ときどき　音楽を　（　　）ながら、勉強します。
　　a 聞こえ　　　　　　b 聞き　　　　　　　c 聞け
4　テレビが　こわれて　いるから、ドラマが　（　　）。
　　a 見えない　　　　　b 見ない　　　　　　c 見られない
5　あれ？　むこうに　ちょっと　火が　（　　）。火事でしょうか。
　　a 見えますね　　　　b 見ますね　　　　　c 見られますね
6　林さんは　おさけが　（　　）。
　　a 飲みますか　　　　b 飲めますか　　　　c 飲まれますか
7　大きい　本だなは　たくさん　本が　（　　）。
　　a 入ります　　　　　b 入れます　　　　　c 入る　ことが　できます

# 5課 ～たことがあります　～ことがあります

## 1 ～たことがあります

① 前に 一度 テレビドラマに 出た ことが あります。
② A「入院した ことが ありますか。」
　 B「いえ、一度も ありません。」
③ わたしは 今まで 学校を 休んだ ことが ない。
④ 子どもの ころ、友だちと けんかした ことが 何度も あります。

🔗 動 た形 ＋ことがあります

☞ Expresses past experience. It is not used for things that have happened in the recent past. But it is often used with words expressing frequency, such as いちど, いちども, なんどか and なんども. It is not used with terms expressing long duration such as いつも or たいてい.
過去の経験を表す。近い過去のことには使わない。「一度・一度も・何度か・何度も」など、頻度を表す言葉と一緒に使うことが多く、「いつも・たいてい」など、常時を表す言葉といっしょには使わない。

## 2 ～ことがあります

① 母は このごろ 人の 名前を 忘れる ことが あります。
② 雪の 日は 道で すべる ことが ありますから、注意して ください。
③ サラは ときどき ぼくの 話を 聞いて いない ことが ある。
④ A「毎朝 何時ごろ 朝ご飯を 食べますか。」
　 B「いつもは 7時に 食べますが、時間が ない ときは 食べない ことも あります。」

🔗 動 辞書形／ない形 ＋ことがあります

☞ Used when you wish to say that something unusual may happen. It is not used with things that happen very frequently. It is also used in the form ～こともあります (④).
特別なことが起こると言いたいときに使う。回数が非常に多い場合には使わない。「～こともあります」という形でも使われる(④)。

れんしゅう1 （ ）の 中の 言葉を 正しい 形に して、書いて ください。

1 わたしたちは 前に どこかで ＿＿＿＿＿＿ ことが ありますよね。（会う）

2 こんなに むずかしい 問題は 今まで ＿＿＿＿＿＿ ことが ありません。
（考える）

3 にもつが 多い ときは、タクシーに ＿＿＿＿＿＿ ことも あります。（乗る）

4 さいきん、なかなか ＿＿＿＿＿＿ ことが あります。（ねむれる）

5 わたしは まだ スキーを ＿＿＿＿＿＿ ことが ありません。（する）

6 雨の 日に 自転車は だめだよ。けがを ＿＿＿＿＿＿ ことも あるよ。（する）

れんしゅう2 aか bか いい ほうを えらんで ください。

1 A「この 歌を 知って いますか。」
　 B「いえ、（a 聞かなかった ことが あります　 b 聞いた ことが ありません）。」

2 あ、この 映画は 前に （a 見た ことが ある　 b 見る ことが あった）。

3 A「富士山に のぼった ことが ありますか。」
　 B「ええ、若い ころは 毎年 （a のぼりましたよ　 b のぼった ことが
　　　 ありますよ）。」

4 先週 はじめて マラソン大会に （a 出ました　 b 出た ことが ありました）。

5 この 赤ちゃんは よく （a わらいますね　 b わらう ことが ありますね）。

6 日本に 来る 前には 海を 見た ことが （a ありません
　 b ありませんでした）。日本に 来て、はじめて 見ました。

7 A「毎日 自分で おべんとうを 作るの？ たいへんでしょうね。」
　 B「毎日では ありません。たまに （a 作った ことは ありませんよ
　　　 b 作らない ことも ありますよ）。」

8 わたしは いつも この 店で パンを （a 買って います　 b 買う ことが
　 あります）。

もんだい1 （　　）に 何を 入れますか。1・2・3・4から いちばん いい もの
を 一つ えらんで ください。

1　きのうは 暑かったですが、今日は きのう （　　） 少し すずしいですね。
　　1　から　　　　　　2　まで　　　　　　3　ほど　　　　　　4　より

2　わたしは 日本に 来る （　　） タイの 会社で 働いて いました。
　　1　まで　　　　　　2　までに　　　　　3　までで　　　　　4　までの

3　コーヒーを （　　） ビデオを 見る 時間が とても 好きだ。
　　1　飲む とき　　　　　　　　　　　　　2　飲んだり
　　3　飲みながら　　　　　　　　　　　　　4　飲んで いる ところで

4　A「その 仕事、わたしが やりましょうか。」
　　B「あ、いいですか。じゃ、（　　）。」
　　1　やります　　　　　　　　　　　　　　2　やれます
　　3　やって ください　　　　　　　　　　4　やりましょう

5　A「ほら、（　　） でしょう？ 鳥の なき声が……。」
　　B「あ、ほんとうだ。ピピピ、ピピピと ないて いますね。」
　　1　聞く　　　　　　2　聞こえる　　　　3　聞ける　　　　　4　聞かれる

6　A「あ、この 花、どこかで （　　）。」
　　B「去年 のぼった さくら山に たくさん さいて いましたね。」
　　1　見る ことが あります　　　　　　　2　見た ことが あります
　　3　見る ところです　　　　　　　　　　4　見た ところです

もんだい2 ＿＿★＿＿に 入る ものは どれですか。1・2・3・4から いちばん
いい ものを 一つ えらんで ください。

1　びじゅつかんへ ＿＿＿ ＿＿＿ ＿★＿ ＿＿＿ ところですよ。急いで ください。
　　1　行く　　　　　　2　出る　　　　　　3　バスが　　　　　4　9時の

2　この 子は わたしが ＿＿＿ ＿＿＿ ＿★＿ ＿＿＿ でしょうか。
　　1　家に いられる　　　　　　　　　　　2　帰って くる
　　3　一人だけで　　　　　　　　　　　　　4　まで

3  A「もう　昼ご飯を　食べましたか。駅前の　ラーメン屋に　行きませんか。」
　　B「あの、今 ＿＿＿＿ ＿＿＿＿ ★ ＿＿＿＿ ところなんです。」
　　1　食べた　　　　　2　買った　　　　　3　コンビニで　　　4　おべんとうを

もんだい3　　1　から　　4　に　何を　入れますか。文章の　意味を　考えて、1・2・
　　　　　　3・4から　いちばん　いい　ものを　一つ　えらんで　ください。

---

　お母さん、お元気ですか。ホームステイの　ときは　ありがとうございました。
わたしは　元気ですから、しんぱいしないで　ください。日本の　生活にも　もう
　1　。毎日　スーパーで　買い物を　して、自分で　料理を　作って　います。でも、
まだ　上手に　2　。料理の　本を　見ながら　作りますが、お母さんの　料理ほど
おいしくないです。先週の　日曜日に　学校の　友だちと　いっしょに　てんぷらを
作りました。写真を　見て　ください。これが　はじめて　3　わたしたちの
てんぷらです。
　夏休みは　3週間だけですが、いろいろな　計画を　考えて　います。その　前に
試験が　あります。試験まで　毎日　いそがしいです。でも、その　後は　楽しい
夏休みですから、4　。試験の　後で、また　お手紙を　書きます。さようなら。

　　　　　　　　　　　　　　　　　　　　　　　　　　　　　　　　　　　サラ

---

1　1　なれます　　　　　　　　　　　2　なれました
　　3　なれる　ところです　　　　　　4　なれて　いる　ところです
2　1　作りません　　　　　　　　　　2　作りませんでした
　　3　作れません　　　　　　　　　　4　作れませんでした
3　1　作った　　　　　　　　　　　　2　作って　いた
　　3　作った　ことが　ない　　　　　4　作る　ことが　ある
4　1　がんばります　　　　　　　　　2　がんばりましょう
　　3　がんばって　ください　　　　　4　がんばって　いました

## 6 課 〜てもいいです／〜てはいけません 〜なくてもいいです／〜なければなりません

### 1 〜てもいいです／〜てはいけません

① トム　「ここに　すわっても　いいですか。」
　　女の　人「ええ、どうぞ。」
② 安い　へやを　さがして　います。せまくても　いいです。
③ はなちゃん、一人で　川に　行っては　いけないよ。
④ 入社試験の　ときの　服は、Tシャツでは　いけません。

📎 動 て形・イ形 い-くて・ナ形 な-で・名 で ＋もいいです
　　動 て形・イ形 い-くて・ナ形 な-で・名 で ＋はいけません

☞ 〜てもいいです expresses permission or concession, while 〜てはいけません expresses prohibition.
　「〜てもいいです」は許可や譲歩を表す。「〜てはいけません」は禁止を表す。

### 2 〜なくてもいいです／〜なければなりません

① 医者　　「もう　薬を　飲まなくても　いいですよ。」
　　病気の　人「そうですか。ああ、よかった。」
② いい　ホテルは　ありませんか。駅に　近くなくても　いいです。
③ お母さん、はこ、ない？　じょうぶでなくても　いいよ。
④ Eメールの　へんじを　書かなければ　なりません。
⑤ ここの　サインは　あなたのでなければ　なりません。

📎 動 ない・イ形 い-く・ナ形 な-で・名 で ＋なくてもいいです
　　動 ない・イ形 い-く・ナ形 な-で・名 で ＋なければなりません

☞ 〜なくてもいいです expresses absence of necessity, or a concession. 〜なければなりません expresses necessity or obligation.
　「〜なくてもいいです」は必要がないことや譲歩を表す。「〜なければなりません」は必要であることや義務を表す。

れんしゅう1　（　）の　中の　言葉を　正しい　形に　して、書いて　ください。

1　この　へやで　おべんとうを ＿＿＿＿＿＿＿も　いいですか。（食べる）

2　もう　おそいですから、仕事の　つづきは ＿＿＿＿＿＿＿も　いいですよ。（あした）

3　あぶないですから、この　川で ＿＿＿＿＿＿＿は　いけません。（およぐ）

4　テストの　とき、となりの　人の　答えを ＿＿＿＿＿＿＿は　いけません。（見る）

5　今日は　休みの　日だから、何も ＿＿＿＿＿＿＿も　いい。（する）

6　小さい　物を　入れますから、ふくろは　あまり ＿＿＿＿＿＿＿も　いいです。
　　　　　　　　　　　　　　　　　　　　　　　　　　　　　　　　　　　（大きい）

7　朝の　ひこうきに　乗りますから、早く ＿＿＿＿＿＿＿ば　なりません。（起きる）

8　ひっこしの　前に、にもつを　はこに ＿＿＿＿＿＿＿ば　ならない。（入れる）

れんしゅう2　aか　bか　いい　ほうを　えらんで　ください。

1　パンフレットは　ただですから、お金を　（a　はらっても　いいです
　　b　はらわなくても　いいです）。

2　この　はこには　さらが　入って　いますから、気を　つけて　（a　運んでも
　　いいです　　b　運ばなければ　なりません）。

3　サラ「この　紙は　もう　すてても　いいですか。」
　　先生「いいえ、（a　すては　いけませんよ　　b　すてなくても　いいですよ）。」

4　トム「旅行の　とき、タオルは　ひつようですか。」
　　先生「いいえ、（a　持って　いっても　いいですよ　　b　持って　いかなくても
　　　　　いいですよ）。」

5　A「ここで　たばこを　（a　すっても　いいですか　　b　すわなければ　なりませんか）。」
　　B「すみません、あそこで　すって　ください。」

6　車が　ほしいな。（a　新しくても　いい　　b　新しくなくても　いい）けど、大きい
　　車が　いいな。

7　【動物園で】
　　「大人は　500円ですか。あの、子どもも　お金を　（a　はらわなくても　いいですか
　　　b　はらわなければ　なりませんか）。」

## 7課 ～がほしいです・～たいです　～といいです

### 1　～がほしいです・～たいです

①わたしは　自分の　へやが　ほしいです。

②おもちゃが　いっぱい　あるね。けんが　ほしいのは　どれ？

③ああ、ゆっくり　本が　読みたいなあ。

④ぼく、この　薬、飲みたくないよ。

⑤7時の　新幹線に　乗りたかったのですが、間に合いませんでした。

⑥うちの　犬は　いつも　わたしが　食べて　いる　物を　ほしがります。

⑦あんな　寒い　所には　だれも　行きたがりませんよ。

✍ 名が　＋ほしいです　　　名を　＋ほしがります

　　動ます　＋たいです・たがります

☞ Expresses the speaker's hopes and desires. As in ③ the object particle を sometimes changes into が (ほんをよむ→ほんがよみたい). When expressing the hopes and desires of a third party, the form changes to ～がります (⑥ ⑦).
話者の希望・欲求を表す。③のように、目的語の助詞「を」を「が」にする場合もある (本を読む→本が読みたい)。第三者の希望・欲求を表す場合は「～がります」の形になる (⑥⑦)。　　　　　→8課2

### 2　～といいです

①いい　仕事が　見つかると　いいですね。

②運動会の　日、雨が　ふらないと　いいですけど……。

③のどが　いたいの？　悪い　かぜでないと　いいけど……。

④へやが　もっと　広いと　いいけどなあ。

⑤ホームステイの　家族が　みんな　親切だと　いいなあ。

✍ ふつう形 (「-た・-なかった」は使わない)　＋といいです

☞ Expresses a situation hoped for by the speaker. It is attached to verbs that do not indicate the intentions of the speaker (non-volitional verbs, verbs expressing potentiality and verbs for which the third person is the subject, etc.). Often ね, けど or なあ are added to the end of the sentence or phrase.
話者が希望している状況を表す。話者の意志を含まない動詞 (無意志動詞・可能の意味の動詞・三人称が主語になる動詞など) につく。文末に「ね・けど・なあ」などをつけることが多い。

れんしゅう1 （　）の　中の　言葉を　正しい　形に　して、書いて　ください。

1　前は　服が　たくさん　①＿＿＿＿＿＿＿が、今は　あまり　②＿＿＿＿＿＿＿です。
　　　　　　　　　　　　　　　　　　　　　　　　　　　　　　　　　（ほしい）

2　今日は　早く　＿＿＿＿＿＿＿たいなあ。（帰る）

3　弟は　からい　物を　＿＿＿＿＿＿＿たがります。（食べる）

4　あしたの　パーティーに　サラさんも　＿＿＿＿＿＿＿と　いいですね。（来る）

5　食堂の　昼ご飯が　＿＿＿＿＿＿＿と　いいけどなあ。（おいしい）

6　こんばんは　ゆっくり　テレビを　見よう。おもしろい　ばんぐみが　＿＿＿＿＿＿＿
　　と　いいなあ。（ある）


れんしゅう2 いちばん　いい　ものを　えらんで　ください。

1　赤ちゃんが　（　　）　ほしがって　いますよ。
　　a ミルクが　　　　　　　b ミルクに　　　　　　　c ミルクを

2　ほら、見て。犬が　外に　（　　）。
　　a 出たいです　　　　　　b 出たがって　います　　c 出たがります

3　あ、これ、わたしが　前から　（　　）　DVDです。
　　a 見たかった　　　　　　b 見たがった　　　　　　c 見たがって　いた

4　日曜日には　デパートで　（　　）です。
　　a 買い物が　ほしい　　　b 買い物が　したい　　　c 買う物が　ほしい

5　さようなら。また　いつか　どこかで　（　　）　いいですね。
　　a 会えて　　　　　　　　b 会うと　　　　　　　　c 会えると

6　早く　春が　（　　）ですね。
　　a 来たい　　　　　　　　b 来ると　いい　　　　　c 来るのが　ほしい

7　川中「山口さん、飲み物は？」
　　山口「そうですね。（　　）。」
　　a ビールが　飲みたいです　　　　b ビールを　飲むと　いいです
　　c ビールを　ほしがります

## 8課 〜そうです 〜がっています・〜がります 〜まま…

## 1 〜そうです

①あ、テーブルの 上の コップが おちそうですよ。

②わあ、おいしそうな ケーキですね。

③ジョンさんは しんぱいそうに 電話で 話して います。

④夏休みには 国へ 帰れそうです。

⑤とても いい 天気です。雨は ふりそうも ありませんね。

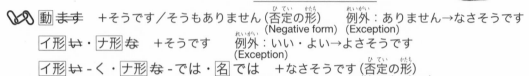

🖊 動ます ＋そうです／そうもありません (否定の形) 例外：ありません→なさそうです
(Negative form) (Exception)

イ形い・ナ形な ＋そうです 例外：いい・よい→よさそうです
(Exception)

イ形い-く・ナ形な-では・名では ＋なさそうです (否定の形)
(Negative form)

👉 Used to express the sense that something will occur based on outside appearance or circumstances (①), as well as to make inferences based on state or quality (②③), or judgments or presentiment (④⑤), etc.
外観や状況から、何かが起きる兆候(①)、性質・様子(②③)を推察して述べたり、判断・予感(④⑤)などを述べたりする言い方。

## 2 〜がっています・〜がります

①犬が 死にました。母は さびしがって います。

②子どもたちは おもしろがって ゲームで あそんで います。

③弟は こわい 話を いやがります。

🖊 イ形い・ナ形な ＋がっています・がります

👉 Expresses the wishes or emotions of a third party (chiefly relatives of, and people of lower status than, the speaker). When used to describe a general trend rather than a situation at hand, 〜がります is used (③).
第三者(主に身内の人や話者より下の立場の人)の欲求・感情の様子を表す。今の様子ではなく、一般的傾向があると言いたいときは「〜がります」の形を使う(③)。 →7課1

## 3 〜まま…

①きのう、まどを 開けた まま ねました。

②手が きたない ままでは いけないよ。早く あらって。

③今日は 4月1日ですが、カレンダーが 先月の ままですよ。

🖊 動た形／ない形・イ形い・ナ形な・名の ＋まま

👉 Expresses a state that is continuous and has not changed. Often used in cases where the speaker feels the situation is undesirable because no change has occurred.
状態が変わらないで続いている様子を表す。状態が変わらないために好ましくない状態になっていることを言う場合に使われることが多い。